DE L'INSTRUCTION
A L'ÉMANCIPATION

ARON RODRIGUE

DE L'INSTRUCTION
À L'ÉMANCIPATION

Les enseignants
de l'Alliance israélite universelle
et les Juifs d'Orient
1860-1939

Traduit de l'anglais par
JACQUELINE CARNAUD

CALMANN-LÉVY

ISBN 2-7021-1757-0

© CALMANN-LÉVY, 1989

Imprimé en France

Je tiens à remercier le professeur Bernard Lewis qui m'a vivement encouragé à entreprendre la rédaction de ce livre. Mes maîtres, Simon Schama, de l'université Harvard, et Yosef Hayim Yerushalmi, de l'université Columbia, m'ont appris à penser en historien et n'ont cessé, depuis que je les connais, d'être pour moi une source d'inspiration.

Je suis reconnaissant à Mme Esther Benbassa pour le soin attentif avec lequel elle a relu diverses versions antérieures de cet ouvrage, pour les commentaires et les suggestions qu'elle a bien voulu y apporter. Ma dette est grande envers mon éditeur, M. Roger Errera, dont les précieux conseils m'ont accompagné tout au long de ce travail.

Je remercie M. Georges Weill, archiviste et bibliothécaire de l'Alliance israélite universelle, qui m'a autorisé à utiliser les riches archives de cette société, et le personnel de la bibliothèque pour son aide généreuse. Mme Yvonne Levyne, bibliothécaire, n'a pas ménagé ses efforts pour faciliter mon travail ; qu'elle trouve ici l'expression de ma profonde gratitude.

Ce projet a bénéficié d'une aide de la Memorial Foundation for Jewish Culture et d'une bourse de l'université d'Indiana. Que ces deux institutions soient assurées de ma reconnaissance.

Tous les documents reproduits dans cet ouvrage proviennent des archives de l'Alliance israélite universelle et ont été rédigés par le personnel de l'Alliance. Pour en faciliter la lecture et par souci d'homogénéité, de très légères modifications ont été apportées à certains textes : elles ne portent que sur l'orthographe. Les noms de lieux n'ont pas été modernisés ; ils figurent dans la transcription utilisée par les enseignants et les publications de l'Alliance, de même que les termes en arabe et en hébreu.

INTRODUCTION

L'irruption de l'Europe dans l'économie, la politique et la culture du Moyen-Orient et de l'Afrique du Nord au cours des XIXᵉ et XXᵉ siècles marque une rupture dans l'histoire de cette région. Militaire, économique, politique et culturelle, la domination européenne a transformé en profondeur tous les aspects de la vie sur lesquels elle s'est exercée. Bien plus, si l'on se place du point de vue du Levant, il ne fait pas de doute que la question brûlante du moment n'était pas la « question d'Orient », principale préoccupation d'une Europe hantée par le vide résultant du déclin de la puissance ottomane, mais la « question d'Occident ». En effet, sûr de lui et triomphant, l'Occident, soudain doté d'une force économique et militaire sans précédent alimentée par la Révolution industrielle, posait un défi majeur au reste du monde.

L'une des conséquences les plus importantes de la « question d'Occident », de l'incorporation du Moyen-Orient et de l'Afrique du Nord dans la sphère d'influence européenne, fut la mise en marche d'un processus d'occidentalisation. Acte d'imitation et d'émulation se traduisant par l'adoption sous une forme parfois modifiée des habitudes occidentales dans les divers aspects de la vie individuelle et sociale, l'occidentalisation fut surtout au départ une attitude défensive. Si l'Europe ne pouvait être vaincue sur les champs de bataille que par l'adoption de ses armements et de sa tactique militaire, alors il ne fallait pas hésiter. C'est d'abord dans ce domaine que l'Empire ottoman et des pays tels que l'Égypte entreprirent de se réformer. L'art de la guerre pouvait s'apprendre auprès des officiers européens : c'est eux qui connaissaient les nouvelles méthodes et pouvaient réorganiser les armées. Toutefois, cet apprentissage supposait aussi celui des langues européennes. Peu à peu, se forma une élite composée d'officiers et d'administrateurs parfaitement à l'aise dans ces langues, frottés, grâce à elles, aux idées et aux idéologies européennes et intimement convaincus de la nécessité de transformer non seulement l'armée, mais aussi l'État et finalement l'ensemble de la société civile sur le modèle européen. Ce processus trouva son accomplissement le plus complet et le plus radical en Turquie avec l'avènement de la République en 1923[1].

Cependant, face à cette volonté de réforme et d'occidentalisation, les puissances européennes furent loin d'adopter une attitude de laisser faire, laisser passer[*]. Elles n'hésitèrent pas à suggérer, voire à imposer, des changements constitutionnels de vaste portée, du moins en théorie, comme le décret de réforme de 1856 en Turquie ou le pacte fondamental de 1857 en Tunisie. Bien entendu, lorsqu'elles administraient directement une contrée, comme l'Algérie après 1830, ou quasi directement comme la Tunisie et l'Égypte après 1881 et 1882, le Maroc après 1912 et le Croissant fertile après la Première Guerre mondiale, l'influence occidentale se faisait sentir de tout son poids dans chaque domaine de la vie. En effet, l'Europe n'était pas seulement plus puissante : elle était aussi profondément convaincue de sa supériorité. Réputée avoir atteint le stade le plus avancé de la civilisation, toutes les autres cultures, toutes les autres sociétés devaient, qu'elles le veuillent ou non, la prendre pour modèle, adopter ses mœurs et se soumettre aux réformes qu'elle proposait ou imposait. Cette conviction triomphaliste déterminait le prisme à travers lequel elle appréhendait l'ensemble du monde non-européen. C'est cette conviction qui allait guider toutes ses missions « civilisatrices », et notamment celle du pays qui en avait fait un véritable culte : la France.

La domination européenne au Moyen-Orient et en Afrique du Nord constitue donc le cadre général dans lequel s'effectua,

---

[*] En français dans le texte.

à l'époque moderne, la rencontre entre l'Occident et les communautés juives sépharades du monde musulman, rencontre qui marqua de façon décisive le dernier siècle de la présence juive en terre d'Islam.

Bien entendu, les Juifs sépharades n'étaient pas insensibles aux exigences et aux attraits de l'Occident. Cependant, ce qui allait les distinguer de leurs compatriotes musulmans en train de s'occidentaliser fut le fait que, dans leur cas, l'impulsion viendrait principalement de leurs frères d'Occident, notamment des Juifs français travaillant au sein du vaste réseau d'écoles mis en place par l'Alliance israélite universelle dans les pays musulmans. A cela allait s'ajouter la constitution d'un corps enseignant militant activement en faveur de l'occidentalisation et principalement composé de Juifs d'Afrique du Nord et du Moyen-Orient formés par l'organisation à Paris et chargés de répandre dans leurs pays d'origine une culture récemment acquise, avec tout le zèle propre aux néophytes.

Centrée sur les instituteurs de l'Alliance et leurs activités, la présente étude se propose d'éclairer certains aspects de cette rencontre des communautés juives d'Orient et d'Afrique du Nord avec l'Occident au travers de la très riche correspondance qu'ils entretenaient avec le comité central de l'Alliance à Paris. L'instituteur ou l'institutrice de l'Alliance rédigeait à l'intention de son organisme de tutelle de fréquents rapports concernant l'enseignement et la vie de l'école, mais aussi lui fournissait quantité de renseignements sur la vie de la communauté juive locale, sa composition sociale, ses institutions, ses mœurs et ses coutumes, ses relations avec les autorités et la population non juive environnante, ainsi que les changements qu'elle subissait sous la pression des événements politiques, sociaux ou économiques. Ces lettres illustrent le rôle crucial joué par l'Alliance dans l'histoire moderne des Juifs d'Orient et d'Afrique du Nord.

Nous n'avons pas cherché à être exhaustif : la tâche dépasse les capacités d'un seul chercheur. Nous avons plutôt choisi de présenter ici certains des documents les plus représentatifs de l'éventail des idées et des activités de l'enseignant de l'Alliance, ainsi que de l'état des communautés sépharades tel qu'il pouvait l'observer en cette ère de profondes mutations.

Surtout, cette passionnante correspondance constitue une source inépuisable pour qui cherche à comprendre le discours, les idées et l'état d'esprit du corps enseignant de l'Alliance, l'une des premières élites autochtones à s'occidentaliser parmi les Juifs résidant en terre d'Islam.

PREMIÈRE PARTIE

L'ALLIANCE ISRAÉLITE UNIVERSELLE, SES ÉCOLES ET SES ENSEIGNANTS

I

Aperçu des activités de l'Alliance

Fondée à Paris en 1860, l'Alliance s'était donné pour objectif de lutter pour les droits des Juifs partout dans le monde et de les secourir là où ils étaient persécutés ; conformément à ses statuts, elle entendait :

1° travailler partout à l'émancipation et aux progrès moraux des israélites ;

2° prêter un appui efficace à ceux qui souffrent pour leur qualité d'israélites ;

3° encourager toute publication propre à amener ce résultat[2].

Les origines de l'Alliance et les forces qui ont concouru à sa création ont fait l'objet de nombreuses études[3]. Qu'il nous suffise de rappeler que ses fondateurs, profondément imprégnés des idéaux libéraux de l'époque[4] et héritiers de la Révolution française, souscrivaient tous à l'idéologie de l'émancipation alors dominante en Europe occidentale, et notamment auprès des Juifs de France. Pour eux, l'émancipation des Juifs, l'obtention de l'égalité des droits et du statut de citoyen à part entière, était un processus qui, commencé en France en 1790-1791, devait s'étendre au monde entier et transformer en profondeur toutes les communautés juives. Vestiges du passé, l'antisémitisme et les persécutions étaient voués à disparaître avec la destruction des superstitions et des préjugés grâce aux progrès de la civilisation moderne. Toutefois, dans beaucoup de pays, les Juifs ne jouissaient pas encore d'une complète égalité civique, et l'obscurantisme continuait à faire des ravages. L'affaire de Damas (1840), où des Juifs avaient été accusés de meurtre rituel sur la personne d'un moine franciscain[5], et l'affaire Mortara en Italie (1858), où l'Église catholique avait refusé de rendre à ses parents un jeune enfant juif secrètement baptisé par une servante, n'en étaient que des exemples parmi les plus récents. Les devoirs des Juifs émancipés envers leurs frères persécutés, ainsi que la solidarité entre Juifs[6], exigeaient la création d'une organisation juive capable de défendre les droits de tous sur la scène internationale. L'Alliance, avec sa devise talmudique « Tous les Israélites sont solidaires les uns des autres[7] », fut le premier organisme juif de caractère international fondé dans ce but exprès.

Toutefois, fidèle à l'idéologie classique de l'émancipation, l'Alliance était également convaincue, tout comme les promoteurs de l'émancipation des Juifs au temps de la Révolution française, que pour la mériter, les Juifs devaient d'abord eux-mêmes changer. Ils devaient devenir des citoyens modernes et éclairés, renoncer à leur particularisme, modifier leur mentalité et leurs habitudes. Pour reprendre la terminologie classique des Lumières, il leur fallait subir un processus de « régénération », qui les rendrait dignes des bienfaits de l'émancipation et de la citoyenneté. Par conséquent, pour que l'émancipation et l'égalité des droits deviennent une réalité, la solidarité juive appelait à un travail concerté de « régénération » au sein des communautés juives « arriérées », afin qu'elles bénéficient à leur tour de cette ère de progrès.

C'était ce souci de « régénération » qui allait sous-tendre la création du vaste réseau d'écoles mis en place par l'Alliance dans les pays d'Afrique du Nord et du Proche-Orient[8]. Cette considération était déjà apparente dans l'appel lancé dès sa fondation par l'Alliance :

... Si vous croyez qu'un grand nombre de vos coreligionnaires, encore accablés par vingt siècles de misère, d'outrages, et de prescriptions, peuvent retrouver leur dignité d'hommes, conquérir leur dignité de citoyens ;
Si vous croyez qu'il faut moraliser ceux qui sont corrompus, et non

les condamner ; éclairer ceux qui sont aveuglés, et non les délaisser ; relever ceux qui sont abattus, et non se contenter de les plaindre ; défendre ceux qui sont calomniés, et non se taire ; secourir partout ceux qui sont persécutés, et ne pas crier seulement à la persécution...

Si vous croyez toutes ces choses, israélites du monde entier, venez, écoutez notre appel, accordez-nous votre adhésion, votre concours[9]...

La spécificité idéologique de ce programme de « régénération » mise à part, d'autres raisons poussaient les Juifs d'Occident à s'intéresser à leurs coreligionnaires du Bassin méditerranéen. La pénétration croissante du Proche-Orient et de l'Afrique du Nord par l'économie occidentale, le développement de la navigation à vapeur et l'intensification des échanges avaient considérablement accru le nombre des Européens, commerçants et autres, présents dans les ports de la Méditerranée. La facilité des transports et des communications se traduisait par une floraison de récits de voyage en Orient et en Afrique du Nord dans la presse européenne. Depuis le début des années 1840, la toute jeune presse juive avait également commencé à faire paraître de longs articles sur les Juifs en pays musulmans, généralement sous un jour extrêmement défavorable, les taxant d'ignorance, de superstition et de fanatisme[10]. Sans doute cette attitude reflétait-elle en partie celle qui prévalait alors en Europe vis-à-vis des sociétés non-occidentales et que les Juifs partageaient pleinement. Mais il y a plus. Pour un Juif occidental récemment émancipé, encore incertain de sa nouvelle égalité et cherchant à s'intégrer et à s'assimiler, les Juifs des pays musulmans constituaient assurément une cause de profond embarras, ranimant la crainte de se voir dépeint par les non-Juifs sous les mêmes couleurs que ses frères d'Orient encore plongés dans l'obscurantisme.

C'est ainsi que vers le milieu du XIXe siècle, les Juifs orientaux en étaient venus à poser aux dirigeants des communautés juives d'Occident une « question juive d'Orient[11] ». Une authentique et profonde solidarité envers des frères opprimés, mais aussi un embarras certain et une répulsion vis-à-vis de coreligionnaires différents d'eux et frustes, imprégnaient le discours des Juifs occidentaux et marqueront plus tard celui de l'Alliance, d'où la profonde ambivalence vis-à-vis de ces communautés, qui ressort de toute la correspondance entre les enseignants et le comité central.

Contrairement à la Russie qui n'admettait pas que des étrangers se préoccupent du sort de ses sujets juifs (lesquels n'étaient pas mieux perçus que les sépharades par les Juifs d'Occident), les autorités musulmanes se montraient relativement nonchalentes à l'égard de telles initiatives, ou étaient trop faibles pour s'y opposer. Ce fait, ajouté à la pénétration occidentale, facilita considérablement les activités d'une organisation comme l'Alliance dans la région.

Le contexte général dans lequel opéra l'Alliance, à savoir l'impérialisme français, ne devrait cependant pas masquer la complexité de ses relations avec le Quai d'Orsay. Bien qu'elle rendît d'inestimables services à la diffusion du français dans le monde, elle n'entretint, jusqu'au début du xxe siècle, qu'assez peu de relations politiques avec le ministère des Affaires étrangères.

Si les dirigeants de l'Alliance étaient tous français, ses membres se recrutaient dans les pays les plus divers. Son audience s'étendait au monde entier. En s'associant trop étroitement aux intérêts français, elle aurait couru le risque de s'aliéner ceux de ses membres qui n'étaient pas français. D'ailleurs, aussi bien le Quai d'Orsay que l'Alliance prenaient très au sérieux le caractère international de cette société. En fait, seule l'École normale dirigée par l'Alliance était officiellement reconnue d'utilité publique. L'Alliance, en tant que telle, ne devait l'être qu'en 1975. En conséquence, durant les premières décennies de son existence, elle ne demanda ni ne bénéficia d'aucune subvention de la part de l'État ; les écoles qu'elle avait créées au Levant et en Afrique du Nord n'étaient pas placées sous la protection officielle de la France, mais bénéficiaient seulement d'une protection de fait, lorsque le besoin s'en faisait sentir.

En 1868 et en 1879, à la demande du comité central, le ministère des Affaires étrangères recommanda aux consuls de protéger les institutions de l'Alliance. La forme que devait prendre cette protection était laissée à la discrétion de chacun, et n'avait donc pas la même valeur qu'une protection de droit[12].

Le passage de la quasi totalité du Maghreb sous le contrôle de la France renforça les contacts entre le Quai d'Orsay et le comité central désireux d'étendre son réseau d'écoles. Une étroite collaboration s'instaura entre les enseignants et les représentants officiels de la France sur place. Simultanément, l'érosion de la présence française au Moyen-Orient au début du XXe siècle, et l'apparition de conflits entre l'Alliance et de nouveaux mouvements juifs, tels que le sionisme, conduisirent à un rapprochement entre cette organisation et la France. La Première Guerre mondiale représenta un tournant dans leurs relations, qui se resserrèrent, et l'Alliance, appauvrie par la guerre, commença à recevoir des subventions régulières de la part du ministère des Affaires étrangères[13].

L'Alliance n'avait pas été créée pour faciliter et promouvoir le rayonnement de la France dans le monde. Cependant, l'importance primordiale qu'elle accordait à l'enseignement du français, le zèle missionnaire avec lequel elle comprenait l'occidentalisation qui, en l'occurrence, signifiait souvent la francisation, ne pouvaient conduire qu'à une convergence avec les objectifs de la politique étrangère de la France, laquelle se servait de la diffusion de la langue française pour se gagner des partisans. Ainsi, bien que dépourvues de statut officiel, les écoles de l'Alliance finirent-elles par devenir des alliés objectifs des intérêts français à l'étranger.

L'Alliance connut un rapide essor. Pour devenir membre, il suffisait de s'acquitter d'une cotisation annuelle de 6 francs. De 850 en 1861, le nombre de ses adhérents passa à 3 900 en 1865, 13 370 en 1870 et plus de 30 000 en 1885. En 1880, elle comptait 349 comités locaux disséminés à travers le monde, dont 56 en France (Alsace-Lorraine comprise), 113 en Allemagne et 20 en Italie. Si 80 % de ses sociétaires étaient français en 1861, ils n'étaient plus que 50 % environ en 1864 et moins de 40 % en 1885[14]. Toutefois, sa direction, en l'occurrence le comité central, demeura un solide bastion français.

La première école de l'Alliance s'ouvrit à Tétouan, au Maroc, en 1862. D'autres suivirent, à Damas et à Bagdad en 1864, à Volo (aujourd'hui en Grèce) en 1865 et à Andrinople (aujourd'hui Edirne, en Turquie) en 1867. Malgré l'appel lancé en 1865 pour rassembler des fonds en faveur de son œuvre éducative[15], le comité central manquait de ressources financières pour étendre son réseau d'écoles naissant. Seule la générosité de deux célèbres philanthropes, le baron Maurice de Hirsch et son épouse, rendit la chose possible. En 1873, le baron constitua une fondation d'un million de francs destinée à l'action de l'Alliance dans l'Empire ottoman, prit en charge son déficit annuel et, en 1889, lui accorda une donation de 10 millions de francs[16]. Son épouse Clara participa activement à la création, en 1897, d'une « Œuvre de nourriture » chargée de distribuer des repas gratuits aux écoliers les plus pauvres. Grâce à l'aide de ces deux éminentes personnalités et à celle d'autres philanthropes juifs, tels les Goldschmidt et les Bischoffsheim, l'Alliance acquit une solide assise financière.

Cependant, même si elle était la première à se porter au secours d'une communauté juive frappée par le malheur, l'Alliance ne se considérait pas comme une association philanthropique. Bien des questions devaient être résolues avant qu'une école voie le jour, questions qu'elle tenait à clarifier avant d'accepter la responsabilité d'un nouvel établissement. Il fallait d'abord s'assurer le soutien actif de notables locaux, dans l'espoir qu'ils aient suffisamment de poids pour neutraliser toute opposition éventuelle. Lorsqu'une communauté déposait une demande, elle devait s'engager à apporter son concours financier, l'Alliance ne consentant à envoyer un directeur qu'à cette condition. La plupart du temps, le directeur reprenait une école déjà existante choisie par les notables afin de devenir un établissement de l'Alliance. Le soutien financier recueilli localement consistait en général en une subvention accordée par la communauté et en une modeste redevance scolaire payée par les élèves qui en avaient les moyens. Bien entendu, la situation variait considérablement d'une école à l'autre, et nombre d'établissements furent fermés ou rouverts en raison des problèmes soulevés par cette question du financement local. Il existait cependant une

TABLEAU I[23]

DÉVELOPPEMENT DU RÉSEAU SCOLAIRE DE L'A.I.U.

Année	Nombre d'établissements	Nombre d'élèves
1865	3	680
1871	14	2 365
1880	43	5 910
1891	55	12 400
1901	109	29 000
1909	149	41 000
1913	183	43 700
1922	112	35 426
1931	126	43 708
1939	127	47 746

constante : les écoles étaient en principe indépendantes des instances communautaires, ainsi que des comités locaux de l'Alliance, et le traitement du directeur était toujours versé par l'Alliance[17].

Les années qui vont de 1880 à 1914 représentent l'âge d'or de l'organisation. Des écoles de garçons et de filles virent le jour dans tous les grands centres juifs, du Maroc jusqu'en Iran ; des communautés plus petites bénéficièrent, elles aussi, en nombre croissant, de cette extension du réseau scolaire. A partir de 1872, sur les conseils de David Cazès, directeur de l'école de Volo[18], des « œuvres d'apprentissage » vinrent compléter l'œuvre des écoles, et en 1882, une école professionnelle s'ouvrit à Jérusalem[18bis]. En 1870, Charles Netter, l'un des fondateurs de l'Alliance, créa le premier établissement moderne d'enseignement agricole en Palestine, Mikweh Israël[19] ; d'autres établissements similaires virent le jour à Djédeida (Tunisie) en 1895[20], et en Asie mineure en 1900[21]. Deux séminaires rabbiniques furent repris en main par l'Alliance, l'un en Turquie et l'autre en Tunisie[22]. En 1913, 43 700 élèves fréquentaient les 183 établissements de l'Alliance.

Comme le montre le tableau ci-contre, l'Alliance connut une croissance spectaculaire au cours de la décennie précédant la Première Guerre mondiale, due notamment à l'extension de son réseau scolaire à l'Iran à partir de 1898 et à la création de nouvelles écoles jusque dans les petites communautés de la diaspora sépharade.

La Première Guerre mondiale inaugura une période de crise, marquée par de sérieux problèmes financiers et logistiques. Cependant, la plus grave, due au nationalisme intransigeant des nouveaux États-nations et qui allait finalement conduire au démantèlement du réseau, ne commença à se manifester qu'au lendemain de la guerre. La Grèce et la Turquie, dont les importantes communautés judéo-espagnoles avaient jusque-là formé le pivot du système éducatif de l'Alliance, nationalisèrent peu à peu les écoles qui durent rompre tout lien avec le comité central à Paris. Toutefois, cette perte fut provisoirement compensée par l'ouverture de nouvelles écoles à l'intérieur du Maroc, où la pacification entreprise par le protectorat français, instauré depuis 1912, avait amélioré les conditions de sécurité.

La Seconde Guerre mondiale représenta pour l'Alliance un point de non-retour. Le génocide et la création de l'État d'Israël amenèrent l'organisation à réviser de fond en comble ses orientations et à adopter une attitude plus favorable envers le sionisme. Après la Seconde Guerre mondiale, la décolonisation et le départ en masse des Juifs des pays arabes modifièrent sensiblement le profil de la société.

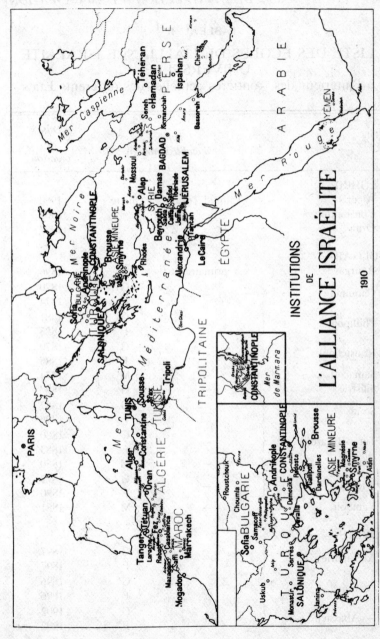

INSTITUTIONS
DE
L'ALLIANCE ISRAÉLITE
1910

Source: *Bulletin annuel de l'A.I.U.*, 1910. p. 196

TABLEAU II[24]

LISTE DES ÉCOLES DE L'ALLIANCE ISRAÉLITE UNIVERSELLE
à l'intérieur des frontières actuelles des différents États

Pays	Type d'établissement		Date de création
ALGÉRIE			
Alger	Talmud-Torah	mixte	1900
Constantine	—		1902
Oran	—		1907
BULGARIE			
Bourgas	primaire	F	1896
Choumla	—	G	1870
		F	1874
Phillipopoli	—	G	1881
		F	1885
Roustchouk	—	G	1879
		F	1885
Samacoff	—	M	1874
Silistrie	—	G	1897
Sofia	—	G	1887
		F	1896
Tatar-Bazardjik	—	G	1880
		F	1883
Varna	—	M	1880
Widdin	—	G	1872
		F	1880
Yamboli	—	M	1881
ÉGYPTE			
Alexandrie	—	G	1897
		F	1897
Le Caire	—	G	1896
		F	1896
— Abassieh	—	G	1902
		F	1902

Pays	Type d'établissement		Date de création
Tantah {	primaire	G	1905
		F	1905
GRÈCE			
Démotica	—	M	1897
Janina {	—	G	1904
		F	1904
Cavalla {	—	G	1905
		F	1905
Gumuldjina	—	M	1910
Larissa	—	G	1868
Preveza	—	M	1908
Rhodes {	—	G	1901
		F	1902
Salonique {	—	G	1873
	—	F	1875
	populaire	G	1897
	—	F	1897
Serrès	primaire	M	1901
Volo	—	G	1865
IRAN			
Bourouguerd	—	M	1913
Chiraz {	—	G	1903
		F	1903
Hamadan {	—	G	1900
		F	1900
Ispahan {	—	G	1901
		F	1901
Kechan	—	M	1929
Kermanchah {	—	G	1904
		F	1911
Seneh {	—	G	1903
		F	1905
Téhéran {	—	G	1898
		F	1898
Yezd {	—	G	1928
		F	1930

Pays	Type d'établissement		Date de création
IRAK			
Amara	—	G	1910
Bagdad			
— A.D.Sassoon	—	G	1864
— Kadoorie	—	F	1893
— Nouriel	populaire	G	1902
— Saleh	—	G	1905
— Noam	—	F	1927
Bassorah	primaire	G	1903
	—	F	1913
	populaire	G	1913
Hanekine	—	M	1911
Hillé	primaire	G	1907
		F	1911
Kerkouk	—	G	1912
Mossoul	—	G	1907
		F	1912
ISRAËL			
Caïffa	—	G	1881
		F	1895
Jaffa	—	G	1892
		F	1894
Mikweh Israël	ferme-école	G	1870
Jérusalem	primaire	G	(1868) 1897
	—	F	1906
	école professionnelle	G	1882
Safed	primaire	G	1897
		F	1897
Tibériade	—	G	1897
		F	1900
LIBAN			
Beyrouth	primaire	G	1869
		F	1878
Saïda	—	M	1902

Pays	Type d'établissement		Date de création
LIBYE			
Tripoli {	—	G	1895
		F	1898
MAROC			
Agadir	—	M	1935
El Ksar	—	M	(1879) 1911
Azemmour	—	M	1911
Benahmed	—	M	1929
Beni Mellal	—	M	1927
Berrechid	—	M	1927
Boujad	—	M	1927
Casablanca			
— N. Leven {	—	G	1897
		F	1900
— M. Nahon	—	M	1933
— Verdun	—	G	1933
Demnat	—	M	1929
Fez			
— S. Lévi {	—	G	1881
		F	1899
— Ville Nouvelle	—	M	1934
Kasbah-Tadla	—	M	1932
Larache {	—	G	(1873) 1901
		F	(1874) 1901
Marrakech {	—	G	1892
		F	1901
Mazagan {	—	G	1906
		F	1906
Méquinez {	—	G	(1901) 1910
		F	(1901) 1910
Midelt	—	M	1928
Mogador {	—	G	(1867) 1888
		F	1908
— du mellah	—	G	1906
Oued Zem	—	M	1935
Ouezzan	—	M	1926

Pays	Type d'établissement		Date de création
Oujda	—	M	1926
Rabat {	—	G	1903
		F	1910
Saffi {	—	G	1907
		F	1907
Salé {	—	G	1913
		F	1913
Séfrou	—	M	(1911) 1914
Settat	—	M	(1910) 1927
Tanger {	—	G	(1865) 1889
		F	(1874) 1881
Taourirt	—	M	1927
Taroudant	—	M	1929
Tétouan {	—	G	1862
		F	(1868) 1882
Tiznit	—	M	1934
SYRIE			
Alep ville {	—	G	1869
		F	(1872) 1911
— Djemilieh	—	F	1889
— Bahsita {	populaire	G	1910
		F	1910
Damas {	primaire	G	(1864) 1880
		F	1883
TUNISIE			
Djédeida	ferme-école	G	1895
Sfax {	primaire	G	1905
		F	1905
Sousse	—	G	1883
Tunis			
— Malta Srira {	—	G	1878
		F	1882
— Hafsia	—	G	1910
— droit rabbinique		G	1907

Pays	Type d'établissement		Date de création
TURQUIE			
Aïdin	primaire	G	1894
		F	1904
Andrinople	—	G	1867
		F	1870
Pergame	—	M	(1896) 1908
Brousse	—	G	1886
		F	1886
Dardanelles	—	G	1878
		F	1888
Cassaba	—	M	1875
Gallipoli	—	G	1905
		F	1913
Constantinople			
— Balata	—	G	1875
		F	1882
— Couscoundjouk	—	G	1879
		F	1880
— Daghamami	—	G	1875
		F	1880
— Galata	—	G	1875
		F	1879
— Goldschmidt	—	G	1876
— Haskeuy	—	G	1874
		F	1877
— Seror	—	G	1908
— Haydar Pacha	—	M	1893
— Ortakeuy	—	G	(1882) 1901
		F	1882
— Séminaire rabbinique		G	1897
Smyrne	primaire	G	1873
		F	1878
	populaire	G	1898
— Caratache	primaire	M	1895

Pays	Type d'établissement		Date de création
Kirklissé {	—	G	1913
		F	1911
Magnésie {	primaire	G	1892
		F	1896
Rodosto	—	M	1904
Tchorlou	—	M	1911
Tireh {	—	G	1897
		F	1910
YOUGOSLAVIE			
Monastir {	—	G	1910
		F	1903
Uskub {	—	G	1902
		F	1905

Abréviations : G. : Garçons — F. : Filles — M. : Mixte.

II

L'enseignement dans les écoles
de l'Alliance

Toutes les écoles de l'Alliance commencèrent par dispenser une instruction élémentaire. Durant les premières années, les directeurs jouirent d'une grande liberté d'action ; tout en répondant aux vœux du comité central, ils pouvaient organiser l'enseignement de la manière qui leur semblait la plus appropriée. Les choses changèrent en 1883-1884, lorsque le comité central fixa le programme[25]. En vertu des nouvelles instructions adressées aux professeurs, chaque école devait comprendre quatre classes correspondant aux quatre années du programme d'études. A quoi pouvaient s'ajouter deux classes enfantines constituant une sorte de maternelle. Les matières enseignées comprenaient le français parlé et écrit, l'arithmétique, la géographie, l'histoire générale, des rudiments de sciences physiques et naturelles, la calligraphie française, l'hébreu, l'histoire juive biblique et post-biblique (cette dernière ayant été ajoutée au cours de l'année scolaire 1892-1893[26]), l'instruction religieuse juive et une « langue utile », telle que la langue du pays, ou encore l'anglais, l'allemand ou l'espagnol. Dans les écoles de filles, le nombre d'heures consacrées à l'enseignement de l'hébreu était considérablement réduit, de façon à permettre l'enseignement de la couture. A l'exception de l'instruction religieuse, de l'hébreu et de l'histoire biblique enseignés par des rabbins locaux, tous les cours étaient assurés par le directeur et ses adjoints formés par l'Alliance. A l'image de ce qui se pratiquait en France, les matières étaient enseignées de façon concentrique. Chaque année, le maître parcourait le programme entier, approfondissant et élargissant par de nouveaux détails les notions déjà acquises les années précédentes.

Bien que calqués sur les écoles primaires françaises, les établissements de l'Alliance n'étaient pas des institutions françaises ordinaires. La place accordée aux langues dès les plus petites classes, l'accent mis sur les matières juives, ainsi que le nombre de classes qui pouvait grandement varier d'une école à l'autre en faisaient des établissements uniques en leur genre. Il s'avéra difficile d'uniformiser l'âge d'entrée à l'école : il pouvait aller de 6 à 7 ans dans certaines, jusqu'à 10 et même 11 dans d'autres. A Salonique, Constantinople et Casablanca par exemple, le programme fut complété au fil du temps par l'introduction de nouvelles matières comme la comptabilité ; de quatre ans, la durée des études fut portée à sept ou huit ans, conférant ainsi à ces écoles le statut officiel d'établissements d'enseignement secondaire. Cependant, la grande majorité des institutions de l'Alliance dispensaient un enseignement primaire, il est vrai plus étendu qu'en France.

Le contenu et la qualité de l'enseignement ne furent jamais identiques d'une école à l'autre. Le manque de professeurs qualifiés dans certaines matières et les centres d'intérêts du directeur pouvaient jouer un rôle déterminant dans ce domaine. Néanmoins, très fortement centralisateur, le secrétariat de Paris réussit à maintenir un remarquable degré d'homogénéité à travers tout son réseau.

L'enseignement de la langue française constituait la pierre angulaire des écoles de l'Alliance. C'est d'ailleurs ce qui faisait leur extrême popularité. En un temps où le colonialisme français régnait en maître sur toute l'Afrique du Nord et où le français était devenu la *lingua franca* du commerce et des échanges au Levant, l'acquisition de cette langue revêtait une importance pratique de premier ordre pour les Juifs de ces régions.

En 1903, le comité central publia, sous le titre *Instructions générales pour les professeurs*[27], un manuel rassemblant diverses circulaires, ainsi que le programme de 1883-1884. Ces instructions qui, avec quelques modifications mineures, allaient rester en vigueur jusqu'à la Seconde Guerre mondiale, donnent un bon aperçu de l'enseignement dispensé par les écoles de l'Alliance[28] :

CLASSES

Le nombre de classes des écoles de l'Alliance est de 4, correspondant aux 4 années du programme d'études.

La classe la plus élevée s'appelle 1re classe, la classe suivante en descendant, 2e classe, et ainsi de suite.

Dans les écoles populeuses, une classe peut être divisée en deux ou plusieurs divisions, qui s'appelleront alors division A, division B, etc. de la …^{e} classe. Le programme est identiquement le même pour toutes les divisions d'une même classe, ces divisions n'étant créées que par suite de l'insuffisance d'un seul professeur à diriger une classe de plus de 40 à 50 élèves et nullement pour établir une distinction entre les élèves des différentes divisions d'une même classe. Ces divisions ne pourront pas compter moins de 30 élèves chacune.

Outre les 4 classes ci-dessus, l'école pourra contenir une ou plusieurs classes enfantines. Ces classes s'appelleront 5e classe et 6e classe (lors même qu'il n'y aurait pas de 4e classe)…

PROGRAMME DÉTAILLÉ

Les matières enseignées sont les unes obligatoires, les autres facultatives.

Les matières obligatoires sont celles qui font nécessairement partie du programme d'enseignement et qui ne peuvent, en aucun cas, en être absentes.

Les matières facultatives sont celles qui peuvent, selon le temps, les lieux, les circonstances, ne pas faire partie du programme.

Les matières obligatoires sont :

a) Instruction religieuse.

b) Histoire sainte et histoire post-biblique.

c) Hébreu (lecture, écriture, traduction, grammaire).

d) Lecture française à haute voix et lectures expliquées.

e) Exercices parlés ou écrits de langue française (grammaire, dictée, rédaction, exercices de mémoire).

f) Arithmétique, système métrique.

g) Géographie locale (de la province, du pays, des pays voisins), géographie universelle, géographie physique.

h) Histoire locale (province, pays, pays voisins), histoire universelle.

i) Notions de sciences physiques et naturelles.

j) Leçons de choses.

k) Calligraphie.

l) Une langue utile dans le pays (turc, bulgare, grec, arabe, espagnol, anglais, allemand).

m) Pour les filles, couture et travaux de femmes.

n) Dessin linéaire.

Les matières facultatives sont :

o) Chant.

p) Dessin d'imitation.

q) Gymnastique.

Les matières facultatives ne peuvent être enseignées que dans les écoles où la durée des classes est supérieure au minimum de 6 heures par jour.

Aucune autre matière que celles indiquées plus haut ne peut être inscrite au programme, à moins d'autorisation préalable du Comité central.

Dans les classes enfantines, le programme comprend :

— L'instruction religieuse, l'hébreu, l'histoire sainte.

— Des exercices de lecture avec explication de textes, lecture des chiffres, exercices de numération.

— Calligraphie (qu'on peut accompagner d'exercices de dessin) sur ardoise.

— Leçons de choses ayant surtout pour objet de faire connaître le vocabulaire usuel de la langue française.

— Langue utile dans le pays.

Il est particulièrement recommandé aux directeurs et aux Comités d'attacher la plus grande importance à l'enseignement de la langue du pays (turc, arabe, bulgare, etc.) ; si cet enseignement est négligé, l'école ne peut donner les résultats que les parents en attendent.

L'étude des langues auxiliaires doit être surtout pratique. Le directeur veillera à ce que cet enseignement soit fait conformément aux bons principes de pédagogie. Chaque professeur spécial ne devra s'entretenir, autant que possible, en classe, avec ses élèves que dans la langue qu'il est chargé d'enseigner.

Pour l'enseignement de la langue allemande et anglaise, il est recommandé de n'employer que des professeurs ayant vécu en Allemagne ou en Angleterre, qui parlent la langue avec correction et avec l'accent convenable.

Programme d'enseignement. — Généralités

La règle générale des études est que l'enseignement, dans chaque classe, forme un ensemble complet et indépendant des classes suivantes. Chaque année l'élève doit parcourir le programme entier, l'année suivante il le reprendra en glissant plus rapidement sur ce qu'il sait déjà, en élargissant et développant, par de nouveaux détails, les notions déjà acquises l'année précédente.

Pour bien appliquer ce programme, il ne faut jamais perdre de vue le but de l'école primaire. Ce but n'est pas de donner aux élèves une instruction technique, de les former à certaines carrières, comme par exemple la carrière commerciale. Il n'est surtout pas, suivant une erreur trop répandue en Orient et qui est funeste à l'instruction, d'enseigner les langues. Les langues sont un instrument, non un but, une forme de la pensée et de la connaissance, non la pensée et la connaissance même.

Le directeur se gardera donc de dénaturer l'école primaire en en faisant une école de langues ou une école pratique dont l'enseignement vise l'utilité prochaine, l'application immédiate des connaissances acquises, comme gagne-pain et instrument de travail...

L'enseignement de chaque année devant former par lui-même un enseignement complet, les programmes qui vont suivre s'appliquent, à moins d'indications contraires, à chacune des 4 classes et doivent être épuisés en une année dans chacune de ces classes. La seule différence entre les classes consiste en ceci que, à mesure que l'on monte vers les classes élevées, l'enseignement devient plus complet et s'enrichit sans cesse de notions nouvelles. Le maître glissera, dans les classes supérieures, sur ce que l'élève aura bien appris dans les classes inférieures, et s'arrêtera de préférence sur les parties qui auront seulement été ébauchées dans ces dernières.

Le programme de l'année entière est divisé en 10 mois à partir de la rentrée qui suit la fête de Souccot. Ces mois sont représentés dans le programme qui va suivre, par les chiffres 1, 2, 3... 10.

Dans les écoles où la classe 4 est trop faible pour l'application du programme détaillé, cette application pourra commencer dans la classe 3...

Classes de I à IV

GARÇONS

MATIÈRES ENSEIGNÉES	1re & 2e CLASSES		3e & 4e CLASSES	
	Nombre d'heures par semaine minimum	maximum	Nombre d'heures par semaine minimum	maximum
Histoire post-biblique	1	2	»	»
Histoire sainte et instruction religieuse	1	2	1	2
Hébreu	5	10	5	10
Lecture française	5	8	6	10
Langue française	5	6	6	6
Arithmétique	3	4	2	3
Géographie	2	3	2	3
Histoire	2	2	1	2
Sciences	1	2	1	1
Leçons de choses	2	3	2	3
Calligraphie	2	2	2	3
Langue	5	10	5	10
Chant	1	1	1	1
Dessin	1	2	»	»
Gymnastique	2	2	1	2

FILLES

MATIÈRES ENSEIGNÉES	NOMBRE D'HEURES PAR SEMAINE	
	minimum	maximum
Histoire juive	1	2
Histoire sainte et instruction religieuse	1	2
Hébreu	2	2
Lecture française	4	5
Langue française	4	4
Arithmétique	2	2
Géographie	1	1
Histoire	1	1
Sciences	1	1
Leçons de choses	2	2
Calligraphie	2	2
Langue	4	5
Couture	7	10
Chant (classes 1 et 2)	1	1
Dessin	1	1
Gymnastique	1	1

Classes enfantines

MATIÈRES ENSEIGNÉES	NOMBRE D'HEURES PAR SEMAINE	
	minimum	maximum
Instruction religieuse et hébreu	7	10
Lecture française	5	10
Calligraphie	5	5
Leçons de choses	8	10
Langue	4	6

Le récit suivant d'un jour d'inscription se retrouve dans bien d'autres lettres de professeurs exerçant dans des écoles solidement établies et très demandées par les parents :

                                        Tunis, le 20 décembre 1912
[...]
12 octobre 1912. La rue El-Meschnaka d'ordinaire si silencieuse, si isolée, animée seulement par le babillage des fillettes qui se rendent à l'école, présente aujourd'hui un aspect insolite. Dès 5 heures du matin, des femmes et des enfants y affluent en groupes, par toutes les issues et y stationnent. De petits rassemblements, grossis à chaque instant par les nouveaux arrivés, se forment le long des trottoirs...

Que se passe-t-il, grands dieux ! La foule grossit et devient de plus en plus compacte. Nous sommes décidément assiégés. Les intentions des assaillants ne sont point douteuses, ils veulent prendre notre immeuble d'assaut ; il faut immédiatement requérir la police. Trois agents arrivent, essoufflés ; c'est qu'il leur a fallu batailler pour fendre le flot mouvant, se livrer un passage et se poster devant la porte de l'école. Le concierge tremble de tous ses membres. N'a-t-il pas craint, un instant que l'entrée n'en fût forcée ! Heureusement que les battants sont solides.

De là où nous sommes, on ne distingue plus un seul pavé. Rien que des têtes qui gesticulent ; des jurons, des cris sifflent à nos oreilles. L'émeute gronde ; le passage de la rue El-Meschnaka est interdit au public raisonnable.

Les femmes de la *Hara*[29], malgré leur embonpoint, sont habiles à jouer des coudes, assouplissent leur corps, se faufilent, glissent, telles des couleuvres, dans la foule pour arriver devant la porte sacrée. C'est un marabout que toutes doivent toucher de leurs mains ; elles s'efforcent également de s'y cramponner.

Les gens raisonnables ou prudents se tiennent à l'écart, répugnant autant d'asséner des coups que d'en recevoir ; ils préfèrent attendre leur tour. Les naïfs !

8 heures : la porte de l'école s'ouvre timidement ; la directrice, effarouchée, jette un regard suppliant du côté des agents de police. Entourée par la populace, elle deviendrait entre les mains de ces « tricoteuses » une proie trop facile. Mais qu'est-ce donc que trois

agents pour tenir en respect une foule qui n'a aucun sentiment de l'ordre et de la discipline. Ils avouent leur impuissance à faire respecter la consigne.

La poussée vers le trou béant est irrésistible ; le cordon est brisé et le flot humain, d'autant plus puissant qu'il a été plus longtemps contenu, se répand dans tous les coins de l'école, gravit les escaliers, inonde les couloirs, envahit les salles de classe. L'infortunée directrice et son héroïque adjointe deviennent le jouet de la foule, perdent pied, tourbillonnent dans la mêlée, se sentent soudain empoignées par des bras solides et se trouvent comme par miracle emprisonnées dans le bureau de la direction. Elles ont des contusions, des bleus ; leurs pauvres petits pieds sont en marmelade ; mais elles ne s'en plaignent pas, heureuses d'avoir échappé à si bon compte à l'étreinte de la foule.

Un passant, étonné de cette bousculade, en demande la cause. C'est aujourd'hui, lui répond-on, qu'on distribue les bulletins d'inscription pour l'admission des élèves à l'école de filles de l'Alliance israélite.

[...]

A. Saguès

(Archives de l'A.I.U., Tunisie, XXIV, E, 198 a).

Le corps enseignant de l'Alliance

A. L'École normale israélite orientale (E.N.I.O.)

Dans les années 1860, le corps enseignant de l'Alliance se composait de jeunes gens recrutés parmi les diplômés des écoles juives de France et du séminaire rabbinique de Paris. La plupart étaient d'origine alsacienne. Certains allaient effectuer une longue carrière au sein de l'organisation. Des hommes tels que Félix Bloch[30] et Maurice Marx[31] étaient des dirigeants de premier plan : ce sont eux qui fondèrent certaines des plus grandes et des meilleures écoles de l'Alliance, notamment celles d'Andrinople, de Bagdad et de Salonique. Cependant, avec l'extension du réseau scolaire, il devint rapidement impossible de trouver en France des professeurs en nombre suffisant pour répondre à la demande. En outre, peu de femmes se sentaient attirées par une carrière d'enseignante au Moyen-Orient ou en Afrique du Nord.

Vers le milieu des années 1860, après de longs débats, la direction de l'Alliance trouva finalement une solution à ce problème[32]. Les meilleurs élèves sortant des écoles de l'Alliance établies au Moyen-Orient et en Afrique du Nord viendraient à Paris, où ils recevraient une formation d'instituteurs, et seraient ensuite envoyés dans les différentes écoles pour y enseigner ou en prendre la direction. L'établissement conçu pour les former, l'École normale israélite orientale (E.N.I.O.), s'ouvrit à Paris en 1867. La même année arrivèrent les premiers étudiants. Deux d'entre eux, David Cazès de Tétouan et Nissim Béhar de Jérusalem (via Constantinople où il avait fréquenté une école juive enseignant le français), allaient faire une brillante carrière au sein de l'Alliance[33]. Il en irait de même de Fortunée et de Rachel Béhar, deux sœurs de Nissim Béhar, qui arrivèrent à Paris en 1872[34] et furent les deux premières institutrices d'origine sépharade à être formées par l'Alliance.

L'E.N.I.O. connut une existence vagabonde jusqu'en 1889. D'abord abritée par l'École de travail, établissement juif d'enseignement professionnel situé dans le Marais, puis par le séminaire rabbinique de 1872 à 1876, puis de nouveau par l'École de travail, elle ne trouva de locaux définitifs qu'en 1889, après qu'un don de la baronne de Hirsch eût permis l'acquisition d'un hôtel particulier à Auteuil[35]. L'école normale de filles dut attendre jusqu'en 1922 pour avoir son propre bâtiment, acheté à Versailles grâce à la générosité d'un ancien élève de l'Alliance à Bagdad, Ezéchiel Schamoon[36]. Jusqu'à la Première Guerre mondiale, l'enseignement des filles se déroula à l'Institut Bischoffsheim, à l'école de Mme Isaac et à celle de Mme Weill-Kahn, trois internats juifs situés à Paris[37].

L'E.N.I.O. fut reconnue d'utilité publique en 1880[38]. Malheureusement, nous ne disposons que de très peu d'informations sur l'enseignement qu'elle dispensait. Comme dans les écoles normales françaises, les études s'étendaient sur trois ans, à l'issue desquels les élèves devaient passer un examen national, le brevet élémentaire, diplôme nécessaire pour pouvoir exercer le métier d'instituteur en France. Outre les disciplines d'enseignement général, les élèves devaient apprendre l'hébreu, l'histoire juive, la Bible et d'autres matières juives. En 1876, le programme des études fut porté à quatre ans et les élèves durent se présenter au brevet supérieur, nouveau diplôme national devenu obligatoire pour tous les enseignants du primaire[39]. D'éminents intellectuels, tels que Joseph Halévi, le célèbre orientaliste, Isaïe Levaillant, futur préfet et directeur de la Sûreté au ministère de l'Intérieur, I. Carré et Ferdinand Buisson, grands pédagogues français, enseignèrent à l'E.N.I.O.

En 1886-1887, le programme des études était le suivant:

1re et 2e années: 38 heures de cours: grammaire et littérature françaises, 9 heures; langue anglaise, 2 heures; histoire, 4 heures; géographie, 1 heure; arithmétique et géométrie, 5 heures; physique et histoire naturelle, 2 heures; dessin, 4 heures; calligraphie, 1 heure; histoire sainte, 1 heure; grammaire hébraïque, 1 heure; exégèse biblique, 3 heures; Mischna et composition hébraïque, 1 heure; chant, 2 heures; gymnastique, 2 heures.

3e et 4e années: 31 heures de cours: pédagogie, 1 heure; grammaire française et littérature, 5 heures; langue anglaise, 2 heures; histoire, 3 heures; géographie, 1 heure; algèbre et géométrie, 3 heures; comptabilité, 1 heure; physique et chimie, 3 heures; dessin, 2 heures; histoire sainte, 1 heure; Talmud, 1 heure; exégèse biblique, 3 heures; composition hébraïque, 1 heure; chant, 2 heures; gymnastique, 2 heures[40].

Il n'existe pas de document équivalent concernant les matières enseignées aux filles, encore qu'il soit raisonnable de supposer qu'elles suivaient un programme sensiblement analogue à celui de l'E.N.I.O. Dans le programme présenté plus haut, environ 15 % du temps était consacré aux matières juives. Il n'était plus que de 10 % en 1935[41]. Il avait en effet fallu libérer des heures pour d'autres matières, afin de donner aux élèves toutes leurs chances de passer avec succès le nouveau brevet institué par le ministère de l'Instruction publique à partir de 1902[42]. Néanmoins, l'enseignement des matières juives occupait une place centrale, étant donné que l'un des principaux objectifs de l'école était de « forger en chacun de ses élèves un cœur, une âme israélite. Leur grande tâche ne consistera-t-elle pas à inculquer, plus tard, à leurs élèves, ces mêmes principes qu'ils auront puisés pendant les quatre années de leur vie scolaire[43] ? » Pourtant, l'enseignement de l'hébreu et des autres matières juives demeura toujours une source de problèmes pour l'organisation, les traditionalistes et plus tard les sionistes reprochant aux écoles de l'Alliance leur laxisme dans ce domaine.

A plusieurs reprises, l'Alliance tenta de réformer cet enseignement, aussi bien dans ses écoles qu'à l'E.N.I.O. Voici comment son directeur, A. H. Navon, décrit l'une de ces tentatives en 1913 :

Paris, le 30 octobre 1913

Projet de réforme des études hébraïques à l'École orientale...

Matières nouvelles à introduire dans le programme, et établissement des responsabilités.

a) Histoire des Israélites (partie biblique) dans le cadre des civilisations anciennes.

Nous n'entendons pas par là : histoire sainte.

Nous pensons qu'à l'École orientale doit être créé un cours d'histoire des Israélites et nous commençons ce cours à l'époque de Josué...

Le cours que nous nous proposons de créer a pour but de fournir à nos futurs maîtres les moyens d'enseigner, à leur tour, cette histoire, sans verser dans les deux excès opposés : une acceptation aveugle de tout ce que contiennent les « histoires saintes » ou le dédain de ces mêmes événements. Il y a une moyenne position à prendre faite de respect pour la tradition et de respect pour la raison...

b) Exégèse biblique (en 4ᵉ année seulement) — Il est bon d'initier nos futurs professeurs à ces questions qui les attireront plus tard. Il est même nécessaire de les y préparer. Quel meilleur acheminement pour les intéresser aux études juives ? Or tout dépend de l'orientation...

c) Histoire de la littérature moderne (4ᵉ année)... M. Slousch donc, en même temps qu'il initierait les élèves aux questions littéraires juives, leur donnerait des leçons pédagogiques en ce qui concerne l'enseignement de l'hébreu, développerait devant eux les méthodes nécessaires. Je pourrais le seconder utilement dans cette partie de son action.

d) Grammaire hébraïque — ou plutôt « langue hébraïque » — Il faudrait renoncer au système qui consiste à ne voir dans l'enseignement de la grammaire hébraïque qu'un assemblage de règles théoriques, abstraites, sans utilisation pratique et constituant en quelque sorte une gymnastique de l'esprit en dehors de toute application. Le système a fait son temps même dans l'enseignement des langues mortes : grec et latin. Il faut maintenant aller au réel, au but : à savoir la possession de la langue. Cela la grammaire ne peut le donner, mais les lectures, les exercices pratiques, le vocabulaire, la règle, c'est-à-dire ce qui appartient au domaine grammatical, devra être la réalisation de l'acquis réel et concret. En hébreu, en matière de grammaire hébraïque veux-je dire, quelques règles essentielles, quelques principes directeurs suffiraient. Toutes les minuties, les finesses, tous « les arbres qui masquent la forêt » doivent être impitoyablement condamnés. Nous donnons un enseignement primaire (au deuxième degré), mais rien qu'un enseignement primaire.

Des versions, des thèmes, des exercices de vocabulaire, des exercices sur la formation de la phrase hébraïque, quelques leçons de grammaire, telle est dans son ensemble, la nouvelle méthode à adopter.

A. H. NAVON

(Archives de l'A.I.U., France, IV, E, 4 a)

Cette volonté, soulignée par Navon, de concilier la raison et la tradition se trouvait au cœur de l'attitude ambivalente des dirigeants de l'Alliance comme de ses enseignants vis-à-vis de tout ce qui touchait à la religion. Les uns et les autres estimaient que le judaïsme, dans son essence, était en parfaite harmonie avec les principes de la « civilisation moderne » que les établissements de l'Alliance avaient pour mission d'inculquer. En pratique, face aux communautés juives d'Orient et d'Afrique du Nord profondément attachées à leur tradition, le professeur de l'Alliance se trouvait objectivement dans la position du missionnaire dévoué à la seule cause de la civilisation occidentale moderne. Confronté à la force d'une religion populaire, il ne tentait pas, ou était incapable d'opérer la synthèse entre la tradition et la raison, telles que se les représentait l'Europe du XIXe et du XXe siècles. D'ailleurs, il est peu probable qu'une synthèse de ce genre, dont l'expression par excellence fut le judaïsme réformé du milieu du XIXe siècle, aurait été réalisable pour les Juifs en terre d'Islam où les conditions de vie étaient très différentes.

L'E.N.I.O., de même que son équivalent pour les élèves institutrices, accomplit sa tâche avec grand succès. Elle donna une excellente formation à des générations d'étudiants qui devinrent par la suite d'importantes personnalités du judaïsme sépharade. Bien entendu, elle avait affaire, dès le départ, à une élite composée des meilleurs élèves des écoles de l'Alliance. Voici comment s'opérait leur sélection :

Candidatures à l'École préparatoire

Le personnel enseignant de l'Alliance est recruté, en général, dans les écoles mêmes de l'Alliance.

Tous les ans vers le mois de mai, le Secrétariat envoie à toutes les écoles des épreuves de composition que les candidats doivent subir. Ces épreuves comprennent : une dictée, une composition française, des problèmes, une version et un thème hébreux. Il est presque inutile de faire remarquer que les candidats ne doivent pas être aidés et ne doivent pas communiquer entre eux...

Les candidats présentés ne doivent pas être âgés de moins de 14 et de plus de 15 ans.

La responsabilité du directeur, dans le choix qu'il fait des candidats, est grave, car de ce choix dépend la valeur du personnel. Il ne doit donc faire ses propositions qu'après mûre réflexion, et en s'inspirant de l'unique intérêt de l'œuvre de l'Alliance.

Le directeur doit observer longtemps à l'avance les candidats qu'il veut présenter afin d'être sûr qu'ils ont les qualités nécessaires à un futur professeur.

En premier lieu, il faut que l'élève soit de bonne constitution et de bonne santé, de taille ordinaire, ni trop grand, ni trop petit, sans aucun défaut physique ni germe de maladie. La prononciation doit être nette, l'élocution facile ; le moindre défaut dans le sens de la vue ou de l'ouïe est une cause de refus absolu. Les voies respiratoires, le larynx, les poumons doivent être particulièrement sains et forts, en vue des fatigues que ces organes devront supporter plus tard, lorsque l'élève deviendra professeur. Dans cet examen, il faudra tenir grand compte des dispositions héréditaires, voir si la famille de l'élève ne présente pas des cas de croissance anormale, de maladies physiques, tuberculose, maladies mentales, épilepsie, etc.

Le directeur, après avoir fait lui-même les observations et enquêtes nécessaires, soumettra l'élève à un examen médical dont les frais seront à la charge de la famille, et enverra au Comité central, en même temps que les observations ci-dessus, une note (de préférence rédigée par le médecin) sur les constatations faites à la suite de cet examen.

L'examen moral de l'élève et de la famille devra également être l'objet de l'attention spéciale du directeur. Il est important que l'élève et sa famille soient bien élevés ; toutes choses égales un élève bien élevé et de manières affables devra être préféré à un élève mal élevé ou vulgaire, ou de physionomie désagréable.

Au point de vue intellectuel, le directeur se préoccupera moins de l'état des connaissances de l'élève que de ses facultés intellectuelles. Il pourra, en comparant entre eux les candidats qu'il propose ou voudrait proposer, étudier chez eux la solidité du caractère, la persévérance dans l'effort, l'application, le sérieux, la ponctualité, la facilité et la rapidité de la conception des uns et la lenteur des autres, le brillant quelquefois superficiel de l'esprit ou la profondeur. En pensant à ces diverses questions, le directeur trouvera des éléments suffisants pour donner au Comité central une appréciation complète et raisonnée de son candidat.

Les directeurs sont informés des décisions prises par le Comité central au sujet de leurs candidats. Les admissions se font vers le mois de juillet[44]...

Deux de ces étudiants, originaires d'Andrinople, en Turquie, devinrent eux-mêmes directeurs de l'E.N.I.O., après avoir travaillé dans diverses écoles de l'Alliance en Afrique du Nord et au Moyen-Orient. Israël Danon[45] occupa ce poste de 1898 à 1911. Il fut remplacé par A. H. Navon qui assuma cette fonction jusqu'à son départ à la retraite en 1935[46]. Ainsi, le principe selon lequel l'Alliance recrutait son personnel enseignant parmi ceux qui avaient fréquenté ses écoles avait-il été étendu au poste de directeur de l'E.N.I.O. lui-même.

Voici comment l'un des professeurs brosse, en 1935, le portrait des élèves de l'E.N.I.O. :

Malgré la diversité d'origine de nos élèves, qui nous arrivent de Jérusalem, de Salonique, ou de Marrakech, on trouve chez eux un certain nombre de caractères communs, ce qui permet de faire leur « psychologie » collective, et d'esquisser leur évolution intellectuelle et morale : il s'agit, bien entendu, de la majorité de nos normaliens, — laissés à part quelques sujets d'élite très supérieurs à la moyenne, et quelques médiocres, très inférieurs à ce qu'on attendait d'eux.

Notons d'abord, car c'est aussi heureux que surprenant, leur extrême facilité d'adaptation à une vie physique toute nouvelle : au bout de quelques semaines, ces jeunes gens, transplantés dans un climat plutôt rigoureux, changeant de régime alimentaire et disciplinaire, vivant dans un monde inconnu, s'y meuvent aisément, sans en être plus gênés que de leur nouvel uniforme. Il est très rare que la question de santé vienne contrarier le travail scolaire, ce qui explique en partie, les résultats satisfaisants des études ; et, après 4 ans, ils seront devenus très suffisamment parisiens, sans avoir rien perdu pour cela de leur type originel.

A leur arrivée à Auteuil, ils se révèlent intelligents, curieux, et désireux d'apprendre : c'est leur intelligence qui a décidé leurs premiers maîtres à les pousser vers l'École normale ; c'est cette intelligence, plutôt que la somme de savoir, que le jury d'admission cherche à déceler parmi les candidats ; la curiosité est naturelle chez les garçons de cet âge abordant de vastes programmes scientifiques et littéraires ; cette curiosité va parfois très loin, ils veulent tirer du professeur tout le profit possible, questionnent, discutent, avec une bonne volonté aussi évidente qu'intéressée. La nouveauté de l'enseignement ne laisse pas, du reste, de les surprendre jusqu'à les ahurir un peu, — horaires compliqués, professeurs différents, exercices inaccoutumés. Fort heureusement, ils ont bon esprit, et surtout à ces débuts, leur docilité déférente et timide facilite la tâche de ceux qui ont tant à leur demander.

La « mise en train » est cependant assez difficile, car les qualités constatées sont en partie contrariées par des dispositions fâcheuses : d'abord, une certaine indolence dans le vrai travail, celui qui exige effort, attention soutenue, réflexion, recherche ; ensuite, un manque total d'ordre et de méthode, qu'explique trop bien leur vie antérieure ; enfin, une tendance à être trop satisfait de soi-même, défaut pardonnable chez l'enfant qui a réussi facilement et n'a rien abordé encore de réellement pénible.

Néanmoins, les premiers travaux donnent en général de bons résultats, accusant des progrès sensibles et rapides. Mais à mesure qu'on entre vraiment dans l'esprit de notre enseignement et qu'on s'y élève un peu, on éprouve les véritables difficultés : il s'agit, en effet, de franchir le large fossé qui sépare l'enseignement « un peu supérieur » de l'enseignement élémentaire reçu par nos élèves, ce dernier étant obligé sans doute, par les conditions où il s'exerce, de se simplifier à l'excès, de rester concret et forcément étroit, lié d'ailleurs par son caractère confessionnel, par la mentalité de races et de contrées particulières : il faut, voudrait-on dire, « occidentaliser » cette éducation trop exclusivement orientale, et cela sans faillir en rien à la tâche très nette poursuivie par l'Alliance, et en respectant tout ce qu'il y a de bon, de fécond et d'original chez ces écoliers. Et c'est une œuvre délicate que d'ouvrir leur esprit à l'abstraction, à laquelle ils sont assez rebelles, — que de les libérer du formalisme verbal, où ils se complaisent par habitude et par goût naturel, — que de leur inculquer un peu d'esprit critique, pour combattre les faciles entraînements superficiels qui fausseraient leur jugement, — que de leur donner la vraie discipline morale, la probité intellectuelle, nécessaires à une grande école et à des études sérieuses.

Ces obstacles sont pourtant vaincus, ainsi que le prouvent les sanctions officielles : au brevet élémentaire, à la première partie du brevet supérieur, nos élèves réussissent pour la plupart du premier coup, aussi bien, sinon mieux, que les candidats parisiens. Et il convient d'arrêter notre attention sur ce résultat : ces garçons qui, à leur arrivée, ne connaissent que les rudiments des sciences, pour lesquels le français était presque une langue étrangère, se montrent capable déjà de pousser à fond le raisonnement d'un problème de géométrie ou d'une théorie algébrique, de construire et rédiger convenablement une dissertation morale ou littéraire, sans parler des autres épreuves ; ils ont réalisé en ces deux années seulement les progrès qui, dans les écoles françaises, pour des élèves plus favorisés, s'échelonnent sur trois ou quatre ans[47].

« Occidentaliser » cette éducation trop orientale n'était que la poursuite de la mission que s'était donnée l'Alliance et qui atteignait là sa phase ultime : transformer les bénéficiaires de ses efforts en d'actifs propagateurs de son message.

Naturellement, l'arrivée dans la Ville lumière et la vie à l'école représentaient pour les élèves un choc culturel de taille, mais la plupart semblent s'y être parfaitement adaptés, comme en témoignent ces deux récits de souvenirs[48].
Le premier se situe en 1872 :

Partie d'Andrinople en septembre 1872, après un long voyage en *britchca* (voiture) et une traversée de neuf jours, j'arrivai à Paris exténuée. C'était la nuit. Un employé du comité central, M. Weill, vint me chercher à la gare, pour me conduire à l'hôtel (rue de Trévise) où je devais passer la nuit, pour être amenée le lendemain à la pension. A peine étais-je seule dans ma chambre, je m'enfermai à double tour de clé, je mis la table devant la porte et ne l'ouvris plus, malgré la prière réitérée du personnel et des patrons m'engageant paternellement à prendre quelque nourriture. Je répondais invariablement, avec le peu de connaissance du français : — Merci, je n'ai pas faim, je veux et dois dormir.

Je ne me déshabillai ni ne dormis.

Le lendemain, reconnaissant la voix de M. Weill, je le fis entrer. Il me mit en voiture et me conduisit place de l'Arsenal où se trouvait alors la pension Bischoffsheim. En me présentant au directeur, j'ai cru comprendre qu'il lui soufflait : — Intelligente, mais difficile à mener.

J'ai conservé de mon séjour à Bischoffsheim les meilleurs souvenirs, malgré les angoisses que j'y ai endurées peu de temps à cause d'un malentendu.

Ordre, propreté, moralité parfaite, hygiène, nourriture rationnelle et abondante, surveillance éclairée, tout contribuait à faire de « Bischoffsheim », avec les bonnes études, une Institution modèle : et cela, grâce à l'infatigable activité, aux soins affectueux, aux conseils judicieux des défunts, M. et Mme Bloch, lui, si paternel, elle, si maternelle. Ils ont bien mérité que la direction de cette pension leur restât jusqu'à leur troisième génération.

Mais, comment exprimer le savoir-faire, l'ardente charité, l'affectueuse sévérité, la vaste érudition, l'esprit de dévouement de leur fille, notre chère Mlle Florentine Bloch, secondant en tout, et partout son père le directeur, sa mère, l'âme de institution Bischoffsheim ? Bonne, compatissante, au cœur vraiment maternel, Mlle F. Bloch était l'amie, la sœur, la bienfaitrice de ses élèves, mais surtout des « orientales » qui furent, au début, les souffre-douleurs des « occidentales ». Mlle F. Bloch eut le talent de corriger cette faute, de faire remarquer l'erreur des Parisiennes, espiègles et malignes, que tout choquait chez les « petites orientales », comme on nous désignait avec mépris, les sœur de feu Nissim Béhar et moi. Au bout de quelques mois, M., Mme et surtout Mlle Bloch avaient réussi à établir l'esprit de camaraderie, de confraternité et d'entente entre toutes les élèves ; ce dont les petites orientales n'eurent plus qu'à se louer. Aussi, les élèves étrangères gardent-elles pour la famille Bloch et l'Institution, une reconnaissance affectueuse, vive et émue. J'y aurais vécu tranquille et contente si, peu de temps après mon arrivée à Paris, ma pauvre mère, affolée, ne m'avait écrit : « On me dit que tu n'es pas dans une école, laisse tout et reviens aussitôt ma lettre reçue. » Puis m'arriva une lettre d'un mien oncle, alors aux Indes : « Je t'envoie 600 francs, mais ne dispose que de 100 francs et garde le reste pour les frais de retour ; ta mère m'écrit que tu n'es pas dans une école, mais dans un milieu suspect. Avant de quitter Paris, décris-moi en détail la maison où tu vis, l'emploi de ton temps, si tu sors souvent, qui tu vois, etc., etc. Si tu es dans une maison convenable, préviens aussitôt ta pauvre mère, à qui l'on dit qu'à Paris le vice court les rues, que les jeunes filles habitent des milieux malpropres et débauchés. » Ces deux lettres me troublèrent fortement, j'avais alors 14 ans. Je me hâtai d'envoyer à mes parents la description très détaillée de la pension, notre manière d'y vivre, le programme des études, la bonté de nos institutrices, de nos professeurs, etc., etc. J'ai passé alors deux mois d'angoisses jusqu'à ce que ma famille fût mieux renseignée, surtout par le directeur qui dirigeait en ce temps l'école des garçons d'Andrinople, le brave Félix Bloch, car c'était lui qui m'avait recommandée à l'Alliance. Ma famille me permit de continuer mes études, sans toucher aux 500 francs qui devaient me servir à rentrer si, et quand je le voudrais.

En général, la vie en pension était agréable ; une fois par semaine, on nous accompagnait au temple où l'éloquence des grands rabbins Isidor et Zadoc-Kahn allait droit au cœur des auditeurs, élevait l'esprit et réconfortait l'âme. Une ou deux fois par semaine, promenade au Jardin des Plantes, au Luxembourg, en rangs, sous la surveillance d'une institutrice. Les élèves étaient toujours accompagnées, même pour aller chez l'oculiste. Cependant, on témoignait beaucoup de confiance aux Orientales, en leur permettant de passer les jours de fêtes, de congé dans les familles des camarades parisiennes qui les invitaient, même la nuit pour aller au théâtre. Sans le désir ardent de revoir nos parents, la vie en pension, grâce à l'Alliance eût été des plus calmes. Je croirais manquer à tous les devoirs en ne mentionnant pas les précieux encouragements et l'amabilité des dames charitables et des personnages qui composaient alors le Comité de surveillance de l'Institution. M. et Mme Bischoffsheim, ses fondateurs, dont la douceur et la bonté nous réjouissaient toutes ; leur fille, Mme Beer, aux conseils si judicieux, Mmes Cahen d'Anvers, Zadoc-Kahn toujours bienveillantes ; Mme Eugène Manuel, la femme du poète. Celui-ci venait

souvent avec M. J. Derenbourg (membre de l'Institut), M. Rosen-
feld, nous examiner, nous encourager, constater nos progrès.

Mon examen — le premier d'une Orientale — devint un événement lorsque le jury apprit par le grand rabbin Zadoc-Kahn, y
assistant pour l'instruction religieuse, que je venais de Turquie, que
je n'avais étudié que trois ans à Paris.

Mme WEISMANN

Le second récit se situe en 1875 :

... L'immeuble du séminaire était un assez grand bâtiment, situé
entre cour et jardin et dont une aile fut affectée à l'école prépara-
toire. Le dortoir, au 1er étage, assez spacieux et suffisamment aéré.
La salle de classe et des études, au rez-de-chaussée, était petite ;
mais donnant sur le jardin et exposée au midi, elle avait un aspect gai
et riant. Elle était sobrement meublée : au milieu, une grande table
carrée, massive, munie de tiroirs, autour de laquelle s'asseyaient, les
élèves d'un côté, les maîtres de l'autre.

A mon arrivée, en septembre 1875, les élèves étaient au nombre
de 16 dont 4 de troisième année, 5 de deuxième et 7 de première,
originaires de Tétouan, de Volo, de Bagdad, de Smyrne, de Salonique, de Constantinople, de Choumla et de Roustchouk.

Les élèves orientaux et les séminaristes faisaient la prière en
commun, dans le même oratoire et prenaient leurs repas ensemble,
dans le même réfectoire et aux mêmes heures. Ici, une parenthèse.
J'avoue, pour ma part, originaire de Roustchouk, d'une ville qui
était un trait de jonction entre l'Occident et la mer Noire et dont la
population était en relations constantes avec Bucarest et Vienne, ce
terme d'Orientaux par lequel on nous désignait me parut, au
premier abord, singulier, voire péjoratif.

Dès le premier contact, je remarquai que les futurs rabbins nous
regardaient avec une curiosité parfois gênante. C'est ainsi qu'on
demanda à l'un des nôtres si, dans son pays, on mangeait avec une
fourchette, et si on en connaissait l'usage. On s'attendait peut-être à
voir en nous des sauvages du Far-West, mais on ne tarda pas à
s'apercevoir que certains d'entre nous étaient assez modernisés et
très dégourdis. Cependant, je dois convenir, pour être franc, qu'un
de nos camarades de promotion se fit remarquer, le jour de son
arrivée à l'école, par une entrée peu banale. Comme il avait trouvé

la porte de l'Établissement fermée, et qu'il ignorait probablement l'usage des cordons de sonnette, ayant frappé vainement à l'huis, il escalada la grille, au grand ébahissement du concierge...

Si j'ajoute que la cuisine était excellente et que l'Alliance nous faisait remettre une mensualité de 5 francs comme argent de poche, je puis dire que nous avons passé au séminaire une année délicieuse.

J'ai cependant des réserves à faire sur la marche des études dont semblait se désintéresser Mr. Trenel, entièrement absorbé par la direction du séminaire. Les bons professeurs ne nous faisaient pas défaut. M. Lemoine enseignait avec une grande compétence l'histoire et la géographie, le capitaine du génie Aron, de l'École polytechnique, était chargé des mathématiques. M. Dépasse nous exposait clairement et agréablement les sciences physiques et naturelles, M. Loeb nous donnait des leçons de grammaire hébraïque et d'exégèse et pendant quelque temps, M. Ferdinand Buisson nous captiva par ses causeries pédagogiques.

Pour ma part, si j'ai aimé ma carrière, c'est que, dès mon enfance, j'ai eu une inclination naturelle pour l'enseignement, disposition que j'ai développée par la lecture des revues et des ouvrages pédagogiques et par la consultation du *Dictionnaire encyclopédique de pédagogie* publié sous la direction de M. Ferdinand Buisson.

Tous les élèves, jeunes et anciens, assistaient à tous les cours et s'efforçaient à prendre des notes.

Quelques mois avant leur départ, les élèves sortants faisaient leur stage dans les écoles primaires consistoriales, tandis que les jeunes se préparaient aux épreuves du brevet élémentaire, avec le concours de leurs aînés qui les aidaient de bonne grâce à faire des dictées, à résoudre des problèmes et leur indiquaient les livres à employer pour les autres matières.

La bibliothèque était mise à notre disposition et nous lisions beaucoup. Nous avions même contracté un abonnement collectif à un journal quotidien *La France*.

Cette vie heureuse et facile ne dura, hélas! qu'un an. A la fin de 1876, nous fûmes transférés rue des Rosiers, à l'École de travail, et installés dans l'aile du bâtiment qui donne sur la rue. La nouvelle maison était grande, haute et spacieuse, mais je pense qu'il fut imprudent d'opérer le transfert avant l'arrivée du nouveau directeur. En attendant, nous prîmes nos repas au réfectoire de l'École de travail, avec les apprentis. La cuisine était médiocre : nouveaux et anciens élèves en furent peu satisfaits, ceux-là habitués aux mets orientaux, ceux-ci gâtés par le régime du séminaire.

Nous fûmes placés sous la surveillance d'étudiants en médecine stagiaires. Nous avions l'air d'exilés, nous étions malheureux. On murmura, on se plaignit de la nourriture. On refusa un jour de goûter à certains plats. Le lendemain nous reçûmes la visite de M. Netter, qui nous admonesta d'importance.

Enfin, M. Marx arriva et tout sembla rentrer dans l'ordre, mais un ordre minutieux, strict et tâtillon. Nous passions d'un extrême à l'autre.

Le nouveau directeur fit du zèle. Il imposa à tous un habillement uniforme et nous fit sortir en rangs.

Le Comité central, de son côté, allait mettre fin à ses libéralités en réduisant de moitié la mensualité qu'il nous accordait et bientôt en la supprimant tout à fait. On alla rarement au théâtre, on instaura le système d'adjoints-surveillants, dont quelques-uns trahissaient la direction, et faisaient cause commune avec les élèves, les incitant à l'insubordination.

Malgré l'activité de M. et Mme Marx, qui se multipliaient pour satisfaire les élèves, la révolte qui couvait, éclata.

Ce fut une velléité de révolte, elle n'eut pas de lendemain. Nous vîmes arriver une délégation du Comité central ; ayant écouté les doléances des mécontents qui prétendaient être « abandonnés comme un troupeau sans berger », elle leur reprocha durement leur ingratitude et menaça de faire un exemple à la première tentative d'insubordination en rapatriant les meneurs. L'avertissement fut salutaire et les esprits s'apaisèrent.

Après le départ des élèves sortants, on n'eut plus à enregistrer aucun acte d'indiscipline.

M. Marx prit cependant une excellente initiative ; à tour de rôle les élèves brevetés, pour se familiariser avec leur futur métier d'instituteur, étaient chargés de faire certains cours devant leurs camarades.

Des professeurs de valeur enseignaient l'histoire et la géographie, les mathématiques, les sciences physiques et naturelles, la composition et la littérature françaises, l'hébreu et l'histoire juive. Le dessin, le chant et la gymnastique étaient aussi enseignés avec soin, mais le cours de pédagogie faisait défaut.

En dehors des notes données par les professeurs, aucun autre contrôle n'existait, pas d'examen de fin d'année.

A la fin de ma quatrième année, le Comité central songea pour la première fois à faire préparer les élèves pour l'obtention du brevet supérieur. On se borna, à titre d'essai, à des examens intérieurs, non officiels.

La même année, M. Marx comprit qu'un contact permanent avec les élèves usait son autorité.

Il résolut de se décharger d'une partie de sa tâche sur un doyen de confiance qu'il s'adjoignit sous le nom de moniteur général. Son choix se porta sur moi qui paraissais plus sérieux que les autres.

Cette nomination me permit d'être l'intermédiaire conciliant entre le directeur et les élèves, d'acquérir de l'expérience et de l'autorité et me valut le privilège d'être nommé d'emblée à ma sortie, à la tête d'une école à fonder.

Pau, le 25 mars 1935
LOUPO

Le comportement défensif des élèves instituteurs vis-à-vis de leurs origines « orientales », qui ressort avec tant de netteté de ces deux lettres, allait profondément marquer leur action et leurs attitudes dans l'exercice de leurs fonctions.

B. Les enseignants

Alger, le 12 octobre 1932

Cher Monsieur Bigart,

Me voici de retour de mon voyage en Bulgarie et prêt à reprendre le collier.

Comme j'ai été bien inspiré d'entreprendre ce voyage que j'ajournais d'année en année, reculant devant les frais qu'il devait m'occasionner. J'ai eu la grande consolation d'avoir trouvé encore mon père en vie — il était alité depuis deux mois — de m'être entretenu avec lui quinze jours durant et d'avoir assisté à ses derniers moments. Il était un des derniers représentants de cette génération qui tout en tenant fortement aux anciennes traditions, sentait confusément qu'elles seraient appelées à disparaître tôt ou tard et qu'un monde nouveau allait surgir, où grâce à l'Alliance israélite, l'instruction devait jouer un rôle prépondérant en Orient et qu'il y avait lieu d'en faire bénéficier ses enfants s'ils ne voulaient pas être handicapés dans la lutte pour la vie. Aussi n'a-t-il pas hésité un seul instant à se

sacrifier en restant tout seul dans une bourgade perdue de la
Bulgarie, à Karnabat, où il était retenu par ses affaires, pendant qu'il
envoyait les siens à Andrinople où mes frères et moi avons commencé à étudier les premiers éléments de la langue française à l'école de
l'Alliance sous la direction d'Abraham Cazès. De sorte que c'est à
mon père que je dois le peu que je suis, aux sacrifices et aux
privations qu'il s'est imposés pour notre instruction et dont pour ma
part je lui ai voué une reconnaissance éternelle.
[...]

A. Confino

(Archives de l'A.I.U., Algérie, II, F, 1 e)

Cette lettre, rédigée par l'un des grands pédagogues de
l'Alliance, donne un aperçu unique de ce que pouvaient être
les origines familiales de ceux qui se destinaient à l'enseignement.

Tout comme son auteur, la majorité des élèves instituteurs
venait non pas des couches supérieures des communautés
juives d'Orient et d'Afrique du Nord, mais plutôt des milieux
moins aisés. Les fils des marchands et des hommes d'affaires
qui formaient l'élite commerciale et financière de la communauté suivaient en général les traces de leur père. En revanche, pour un jeune homme doué et ambitieux des classes
moyennes, notamment en province, une carrière d'enseignant
au service de l'Alliance représentait un moyen séduisant de
s'élever rapidement dans la hiérarchie sociale et, surtout,
d'entrer dans une catégorie qui, par son statut, jouissait d'un
grand prestige. Un professeur de l'Alliance se voyait presque
automatiquement projeté dans la classe des notables. Il fréquentait les notabilités, participait aux affaires de la communauté et était l'un de ses dirigeants. Il tirait son autorité de sa
familiarité avec une société occidentale qui paraissait immen-
sément riche et puissante. Bien plus, l'aura croissante qui
entourait tout ce qui était occidental augmentait, par association, son prestige. Les satisfactions que faisait miroiter l'Europe triomphante, la possibilité de passer quatre ans dans
l'une de ses principales capitales, la Ville lumière elle-même,
exerçaient, à eux seuls, un puissant attrait sur l'aspirant
professeur.

Pour les Juifs du monde méditerranéen, qu'ils fussent partisans ou adversaires de l'occidentalisation, le professeur de l'Alliance était l'incarnation, on ne peut plus concrète au sein de la communauté, de la toute-puissance de l'Occident. A ce titre, il était une personnalité importante avec laquelle il fallait compter.

Bien entendu, pour les femmes venait s'ajouter une dimension supplémentaire. Jusqu'au début du XXe siècle, la carrière d'enseignant au sein de l'Alliance était la seule qui s'ouvrait aux jeunes filles désireuses de mener une existence indépendante et d'exercer une profession. Le statut de la femme au Moyen-Orient et en Afrique du Nord était encore soumis à des conventions d'une extrême rigidité. Le père ou le frère exerçait sur elle une autorité sans partage, rôle repris par l'époux après le mariage. Dans ces sociétés, devenir institutrice de l'Alliance était en soi un geste révolutionnaire.

D'ailleurs, l'émergence au sein des communautés juives sépharades et orientales d'une élite occidentalisée comme le corps enseignant de l'Alliance indique que la culture juive traditionnelle connaissait déjà un déclin relatif, avant même que ne se fasse sentir dans toute sa force l'effet du travail de l'Alliance. Avec son système de valeurs radicalement opposé, l'Alliance n'aurait, en effet, jamais réussi à recruter des adhérents et encore moins des hommes et des femmes prêts à travailler pour elle, dans des communautés encore passionnément attachées à un système de valeurs fondé sur les vérités révélées de la Bible et où les rabbins, détenteurs de ces vérités, auraient joui d'un prestige encore intact. On peut donc dire que ses écoles et ses enseignants furent autant des symptômes que des causes du déclin de la tradition parmi les Juifs sépharades.

De quels pays ces enseignants étaient-ils originaires? Les données biographiques fournies par A. H. Navon dans son livre commémorant le soixante-dixième anniversaire de l'E.N.I.O. permettent de calculer leur répartition selon leur lieu de naissance, comme le montre le tableau de la page suivante.

Bien qu'incomplets, car Navon n'a pas été en mesure d'obtenir des renseignements sur tous les diplômés de l'E.N.I.O.,

TABLEAU III

LES DIPLÔMÉS DE L'E.N.I.O. SELON LEUR PAYS D'ORIGINE DE 1869 A 1925[49]*

	Hommes	%	Femmes	%	Total	% du total
Turquie	85	34,8	73	48,0	158	39,8
Bulgarie	25	10,2	15	9,8	40	10,1
Maroc	31	12,7	9	5,9	40	10,1
Israël	30	12,2	11	7,2	41	10,3
Syrie	18	7,3	10	6,5	28	7,0
Grèce	14	5,7	14	9,2	28	7,0
Iran	7	2,8	—	—	7	1,7
Tunisie	6	2,4	—	—	6	1,5
Irak	6	2,4	—	—	6	1,5
France	—	—	8	5,2	8	2,0
Roumanie	5	2	—	—	5	1,2
Algérie	4	1,6	—	—	4	1,0
Liban	4	1,6	2	1,3	6	1,5
Russie	3	1,2	2	1,3	5	1,2
Libye	3	1,2	2	1,3	5	1,2
Pologne	—	—	2	1,3	2	0,5
Hongrie	1	0,4	1	0,6	2	0,5
Égypte	—	—	1	0,6	1	0,2
Yougoslavie	1	0,4	2	1,3	3	0,7
Gibraltar	1	0,4	—	—	1	0,2
Non spécifié	3	—	4	—	7	
Total	247		156		403	

* A l'intérieur des frontières actuelles des États mentionnés.

ces chiffres constituent un échantillon représentatif permettant de se faire une bonne idée des origines du corps enseignant de l'Alliance. Dans leur majorité, les instituteurs venaient de l'Empire ottoman, notamment de son aire de culture judéo-espagnole qui comprend aujourd'hui la Turquie, la Grèce et la Bulgarie. A eux seuls, ces trois pays semblent avoir fourni près de 60 % du corps enseignant de l'Alliance. En revanche, 10,1 % seulement étaient originaires du Maroc, où pourtant la présence de l'Alliance fut la plus longue. De nombreux facteurs expliquent cette remarquable prédominance de l'élément judéo-hispanophone au sein du corps enseignant. Plus ouverte aux influences européennes, l'aire de culture judéo-espagnole était relativement plus disposée à accueillir le travail de l'Alliance que le monde arabe. Le Maroc espagnol, avec ses deux grandes communautés de Tanger et de Tétouan en contact direct avec l'Europe, illustre bien ce phénomène. Parmi les diplômés de l'E.N.I.O. originaires du Maroc, 22 sur les 31 garçons et toutes les filles, soit 9, étaient nés dans cette région où les communautés juives parlaient aussi le judéo-espagnol[50]. Beaucoup d'enseignants rapportent que les élèves dont la langue maternelle était le judéo-espagnol, langue pour l'essentiel romane, avaient bien plus de facilité pour apprendre le français que les autres. Une parfaite maîtrise du français étant une condition *sine qua non* pour être admis à l'E.N.I.O., il va de soi que les étudiants d'origine judéo-espagnole bénéficiaient d'une longueur d'avance sur leurs condisciples. De plus, à la veille de la Première Guerre mondiale, la majorité des écoles de l'Alliance étaient situées dans l'Empire ottoman et notamment dans les communautés judéo-espagnoles ; il était logique qu'elles fournissent davantage de professeurs que celles d'Irak ou de l'intérieur du Maroc, régions de pénétration plus difficile.

72 des 247 instituteurs (29,1 %) et 23 des 156 institutrices (14,7 %) diplômés de l'E.N.I.O. donnèrent leur démission dans les dix années suivant leur nomination. En revanche, 112 instituteurs (45,3 %) et 67 institutrices (34,7 %) exercèrent dans les écoles de l'Alliance pendant plus de vingt ans. Apparemment, les institutrices abandonnaient la carrière plus

tôt que leurs homologues masculins. 58 instituteurs (23,4 %) et 19 institutrices (12,2 %) exercèrent pendant plus de 30 ans[51].

Les enseignants comptant vingt années de service ou plus formaient l'épine dorsale du réseau éducatif de l'Alliance. Ayant généralement débuté comme adjoints sous l'autorité d'un directeur confirmé, ou ouvert des établissements dans de petites communautés, ils prirent par la suite la direction des grandes écoles de l'Alliance situées dans des centres juifs importants, où ils jouèrent un rôle crucial dans les activités de l'organisation. Des personnalités telles que Béhar, Cazès, Arié, Fresco et Sémach parmi les hommes, Ungar, Salzer, Sémach et Lévy parmi les femmes créèrent les fondations solides sur lesquelles reposait tout l'édifice de l'Alliance.

De nombreux enseignants publièrent également des manuels scolaires, des mémoires, des études sur diverses communautés, des livres d'histoire, des romans, des pièces de théâtre et eurent une activité de journalistes[52]. Leur travail fut reconnu par les autorités officielles des pays où ils étaient en poste, ainsi que par les consuls de France et les administrateurs coloniaux. 49 des instituteurs (soit 19,8 % du total) et 16 institutrices (soit 10,2 % du total) se virent décerner des honneurs officiels par la France, tels que les Palmes académiques et même dans certains cas la Légion d'honneur, ou se virent décorés par les autorités musulmanes de l'ordre du Nichan-ilftihar et du Mecidiye.

C. Les relations entre les enseignants et le comité central de l'Alliance

Le comité central veillait au bon fonctionnement de son « œuvre » en organisant de fréquentes tournées d'inspection confiées à des enseignants dignes de confiance. Les rapports rédigés par ces inspecteurs offrent un tableau représentatif du personnel enseignant, de ses qualités et de son travail. Alors directeur de l'une des écoles de l'Alliance de Constantinople, A. Confino fut amené en 1908 à juger ses collègues exerçant dans les nouvelles écoles récemment fondées en Iran :

Téhéran, 30 août 1908

... Dans mon précédent rapport sur Hamadan j'ai déjà eu l'occasion d'esquisser brièvement la physionomie de M. Hochberg. Il me faut encore revenir là-dessus et étudier de près la psychologie de cet être quelque peu énigmatique. Physiquement, M. Hochberg inspire peu de sympathie : figure en lame de couteau, yeux froids, visage pâle, teint bilieux, mine souffreteuse. Il se prétend lui-même et il passe parmi ses collègues pour être un rêveur, un idéologue, un socialiste. Or j'ai eu l'occasion de l'approcher de près, de vivre dans son intimité pendant un mois et de noter mille traits de son caractère qui démentent l'opinion qu'on a de lui. Ce soi-disant socialiste est le plus grand égoïste que j'aie jamais connu. Cet idéologue mange et boit comme quatre sans s'occuper de ses voisins. Ce doux rêveur sait fort bien calculer à l'occasion et possède un sens pratique très prononcé de ses intérêts. En réalité, il n'est rien de tout cela. Si tant est qu'un Juif s'assimile facilement les mœurs et les habitudes du pays qui lui donne l'hospitalité, M. Hochberg est un produit essentiellement russe. De la tête aux pieds il est imprégné de l'esprit slave, du caractère slave, de la mentalité slave. Or le slave — chacun sait ça — n'a point cette netteté de vues, ce coup d'œil prompt et décisif qui fait de l'Occidental, du Latin surtout, un être... impulsif, allant droit au but une fois... son plan d'action déterminé...

Il devait protéger les Israélites et pour cela il fallait être en contact perpétuel avec eux. Au lieu de cela, il les a tenus à l'écart et a détourné les meilleures volontés de lui par ses convictions de libre-penseur et son dédain des pratiques religieuses. Il a cru qu'il suffisait d'en imposer aux musulmans par ses allures de grand seigneur en sortant dans les rues escorté d'une nuée de domestiques. Il n'a réussi qu'à dépenser des sommes folles sans utilité pour la communauté. Il s'est contenté d'enseigner la morale pure à ses élèves, supprimant délibérément les prières à l'école et le résultat le plus clair de cet enseignement — je devrais dire le plus néfaste — ç'a été de faire des athées de ses élèves. Or ce n'est pas là le rôle et les fonctions d'un représentant de l'Alliance.
[...]

A. CONFINO

(Archives de l'A.I.U., Iran, I.F., 1)

4 septembre 1908

[...]

M. Saguès. — On peut dire de lui que vous avez eu la main heureuse en le nommant à Kermanchah. Je ne le connaissais pas avant mon arrivée en Perse. J'étais même prévenu contre lui à la suite de l'incident où il a failli perdre la vie. Je savais que les Persans ne s'attaquent jamais aux Européens et qu'il fallait un concours de circonstances extrêmement graves pour qu'on eût porté la main sur lui. Bref, qu'il s'agissait là d'une affaire de mœurs où tous les torts devaient être de son côté. En le voyant à l'œuvre, toutes mes préventions contre lui sont tombées. Intelligence vive et pénétrante, physionomie claire et ouverte, actif, remuant, entreprenant, on sent qu'il aime son métier et il le montre bien. Certes, je savais que M. Saguès était prévenu de mon arrivée prochaine. Mais je sentais à mille petits riens qui ne nous trompent pas, qui sont pour nous des indices précieux, qu'il n'y avait rien d'improvisé, de factice et d'apprêté dans tout ce que je voyais ; que c'était là le cours normal et régulier de la vie d'un professeur consciencieux et dévoué à ses fonctions. L'incident même où il a vu la mort de si près est tout à son honneur et la version qui vous a été donnée par la Légation de France est entièrement erronée. L'enquête que j'ai faite à Téhéran aussi bien qu'à Kermanchah ne laisse planer aucun doute dans mon esprit. Vous connaissez peut-être les faits. Un de ses domestiques se prend de querelle avec un musulman. Les autres d'accourir à son secours. Les passants interviennent, il s'ensuit une mêlée générale. M. Saguès commet alors la maladresse de sortir de chez lui et de prendre fait et cause pour ses domestiques. Les Persans tombent sur lui à bras raccourcis et le passent comme on dit à tabac. Mais alors s'apercevant de l'énormité de leur acte, au lieu de se retirer et de prendre la fuite, ils s'acharnent sur lui, l'entraînent à la mosquée, et pour justifier leur attitude, l'accusent d'avoir caché une femme musulmane à l'école. Ç'a été un acte spontané, irréfléchi de leur part. Il n'y a jamais eu de femme dans cette histoire. Telle est la portée de cet incident réduit à ses justes proportions.

Depuis lors ce malheureux vit dans des transes perpétuelles. La vie à Kermanchah est devenue pour lui un véritable martyre. Pendant mon séjour dans cette ville, nous couchions tous les deux dans la cour de l'école. Il réveillait dix fois les domestiques, croyant qu'on voulait attenter à ses jours. Le bruit du vent dans les arbres, la chute d'une feuille, un souffle, un rien lui faisaient peur. Un soir que nous rentrions à l'école au crépuscule, il fut abordé par un Persan d'une façon insolite. Le pauvre garçon fut tellement pris d'épouvante, qu'il serait certainement tombé à la renverse si je ne l'avais

pas reçu dans mes bras. Son déplacement de Kermanchah était pour
lui une nécessité absolue. En l'autorisant à partir, vous lui avez
rendu un grand service.
[...]

A. Confino

(Archives de l'A.I.U., Iran, I.F., 1)

Comme la plupart des organisations, l'Alliance n'était pas à
l'abri des frictions, notamment entre le secrétariat de Paris
fortement centralisateur et le corps enseignant dispersé dans
de nombreuses villes et localités éloignées. Paternaliste envers
les professeurs, le comité central avait tendance à agir de
façon autocratique, notamment sous la direction de son redoutable secrétaire général Jacques Bigart qui, de 1892 à 1934,
assura la conduite des affaires courantes. C'est ce qui ressort
très nettement des *Instructions générales pour les professeurs* :

[...]
Le professeur évitera, en général, dans sa correspondance avec le
comité central, toute expression qui s'éloignerait de la correction
administrative et du respect dû par lui à ses supérieurs. S'il a une
observation ou une réclamation à faire, il la fera simplement, en
signalant avec précision les faits et les dates, sans l'accompagner de
réflexions et surtout sans manifester de l'étonnement.

Le professeur veillera au style de ses lettres et s'efforcera de leur
donner le ton de politesse, d'urbanité et de bonne éducation qui doit
régner dans toute correspondance administrative. Il cherchera à
manier correctement la langue française et il y arrivera surtout en
lisant avec soin et en relisant souvent un petit nombre d'auteurs qui
comptent parmi les grands écrivains...

RÈGLES DE DISCIPLINE RELIGIEUSE, MORALE ET INTELLECTUELLE

Le comité central ne veut point s'ingérer dans la vie privée des
professeurs, qui n'est pas du domaine administratif, et dont la
dignité s'impose suffisamment à leur conscience pour peu qu'ils
soient bien pénétrés de leurs devoirs sociaux et professionnels.

Cependant il juge nécessaire de leur donner quelques instructions en leur qualité de professeurs et de mandataires de l'Alliance.

Il est essentiel qu'un professeur, placé au milieu d'une communauté dont il doit s'attirer l'estime et la sympathie, chargé de l'éducation des enfants, représentant d'une société qui lui a confié le dépôt de ses traditions, pratique scrupuleusement les devoirs religieux et se rende compte de la gravité de la faute qu'il commet en y manquant de quelque façon que ce soit.

Les directeurs et professeurs doivent donc : 1° suivre les offices à la synagogue tous les samedis et jours de fête ; 2° observer les pratiques religieuses concernant la nourriture, le sabbat et les fêtes, et ne transgresser en rien aucune des pratiques suivies par la majorité des membres de la communauté où ils se trouvent.

Le comité central exige spécialement l'observation stricte de ces instructions, et il sera très rigoureux pour ceux qui négligeraient de s'y conformer. Les directeurs n'oublieront pas cette question dans leurs rapports annuels et ils donneront à leurs adjoints, sur ce point, le bon exemple.

MARIAGE DES PROFESSEURS

Le comité central souhaite d'être consulté par les professeurs et institutrices sur leurs projets de mariage. Il n'entend nullement par là s'immiscer dans des arrangements d'ordre privé, mais il ne peut pas non plus tolérer — comme cela est arrivé parfois — que de jeunes professeurs dont le traitement suffit à peine à leur entretien personnel, commettent l'imprudence d'assumer la charge d'une famille.

Il croit que dans ces circonstances importantes, ses conseils pourront leur être très utiles ; les professeurs qui s'en passeraient s'exposeraient à le mécontenter gravement[53].

Un rapport défavorable d'un inspecteur engendrait souvent des conflits entre le comité central et l'individu concerné. Deux domaines semblent avoir constitué les principales sources de frictions : les demandes de mutation et les questions financières relatives au traitement de l'instituteur ou au remboursement de ses frais. La lettre suivante d'A. Saguès offre une illustration intéressante du premier point :

Casablanca, le 3 avril 1909
[...] Monsieur le Président,

Malgré toute la vénération que vous m'inspirez, malgré le profond respect que j'éprouve pour le comité central, enfin malgré l'admiration que je ressens pour votre œuvre, tant pour son action propre que pour les actes généreux qu'elle inspire ou encourage, ce qui aurait dû refouler au fond de moi-même mes préférences personnelles pour ne considérer que la beauté du devoir à accomplir n'importe où et surtout dans les conditions les plus défavorables, j'avoue que certaines de vos décisions à mon égard n'ont pas été conformes à mes désirs. Sous le coup de l'impression qu'elles m'avaient causée je n'ai pas pu toujours modérer le ton de certaines de mes lettres : dominé par un énervement que les circonstances ne contribuaient qu'à aggraver je l'y ai manifesté avec une vivacité que j'aurais certainement blâmé chez un autre. Je reconnais donc mes torts et pour prévenir tout malentendu, j'ai l'honneur de vous informer que je retire toute ma présente lettre si une phrase, une expression, un mot pouvait être de nature à vous déplaire.

S'il n'existait entre l'Alliance et les membres de l'enseignement que des relations de patron à employés ma lettre n'aurait eu aucun sens. En réponse à mes plaintes continuelles vous auriez eu le droit de m'inviter à chercher ailleurs un emploi à ma convenance si le poste que vous m'offriez ne me plaisait pas. Et, à moins d'avoir une arrière-pensée, je me serais bien gardé dans ce cas de vous rien écrire. Je me serais efforcé de dissimuler mes sentiments, mon caractère se serait de plus en plus aigri, j'aurais fait mon devoir par conscience, par habitude mais à contre-cœur. Or, c'est justement ce que je veux éviter. Il me répugne d'user d'hypocrisie et je désirerais toujours conserver le même goût pour l'enseignement, la même ardeur à collaborer pour une modeste part à votre œuvre. C'est pourquoi je viens me confier à vous. Je crains en agissant de la sorte de ne pas tenir assez compte de la réserve que nous impose la correspondance officielle. Mais le fait même d'exposer mes doléances à celui qui tient mon avenir entre ses mains constitue une démarche qui doit vous disposer à l'indulgence. Cela dit, j'arrive au sujet même de ma lettre...

Pour le moment ma suprême ambition est d'obtenir une petit direction autant que possible près de Constantinople. Je voudrais espérer que vous vous intéressez assez à mon avenir pour ne pas me refuser cette légitime satisfaction.

Veuillez agréer, Monsieur le Président, avec mes remerciements, l'expression de mes sentiments respectueux.

A. SAGUÈS

(Archives de l'A.I.U., Maroc, VIII, E, 155)

Saguès ne réalisa jamais son rêve d'être envoyé par l'Alliance à Constantinople. Après un court séjour à Casablanca et quelques années passées à Tunis comme directeur de l'« école populaire » de Hafsia, il fut nommé à la tête de l'école de Tanger où il termina sa carrière.

Même un professeur jouissant d'une très haute considération comme A. Confino pouvait rencontrer des difficultés avec le comité central à propos de la détermination de son traitement :

Alger, le 10 septembre 1912

Monsieur le Président,

J'ai l'honneur de vous accuser réception de votre lettre du 5 septembre.

Frais de voyage — Je mérite pleinement la lettre que j'ai reçue du Comité central. Je la mérite parce que je suis un imbécile. Tout autre que moi n'eût jamais consenti à se mettre en route avec une femme malade et trois enfants en bas âge. Je l'ai fait uniquement pour vous être agréable, pour n'avoir pas à vous télégraphier un « non » tout sec. Mais que les Dardanelles aient été fermés juste la veille de notre départ ; que vous nous ayez obligés à prendre la voie de terre, que le train ait déraillé au moment d'arriver à Marseille ce qui a particulièrement aggravé l'état de Mme Confino, ce sont là des faits que nous ne pouvions pas prévoir et dont nous ne saurions être rendus responsables en aucune façon. Sans quoi la note des frais n'eût même pas atteint la moitié de la somme.

Ma femme et mes enfants pouvaient-ils passer quatre nuits en chemin de fer sans se coucher ? Pouvais-je laisser ma femme sans soins à Marseille ? J'ai été assez souvent par ailleurs ménager des deniers de l'Alliance pour que le reproche de prodigalité ne me touche nullement. Mais j'ai tenu à mettre les choses au point. Si je vous disais, Monsieur le Président, que les frais de voyage ont dépassé cette somme, vous auriez peine à le croire. Et si je vous disais que j'ai été obligé de vendre pour 1 000 francs un mobilier tout neuf que je venais d'acheter à Constantinople pour 2 300 francs — avec l'argent de l'assurance — et cela parce que vous n'avez pas voulu m'accorder aucun délai ; vous me croiriez de moins en moins. Pourtant cela s'est fait au vu et au su de tous mes collègues à Constantinople. Si je vous disais que j'ai agi ainsi pour vous éviter des frais d'emballage et de transport considérables vous hausseriez les épaules et vous me traiteriez de triple sot que vous auriez raison.

Veuillez agréer, Monsieur le Président, l'expression de mes sentiments dévoués.

A.Confino

(Archives de l'A.I.U., Algérie, I.F., 1 a)

En fin de compte, ce qui retenait les enseignants de l'Alliance à leur poste, bien que leurs qualifications leur eussent permis de prétendre à des situations beaucoup mieux rémunérées, c'était un dévouement sans faille envers leur mission, un engagement idéologique et moral qui transcendaient les différends momentanés qu'ils pouvaient avoir avec le comité central. Ce même Confino, qui s'était senti profondément humilié de ne pas se voir accorder l'augmentation qu'il réclamait en 1908-1909, adressait la lettre suivante à Jacques Bigart en 1916 :

Alger, le 26 février 1916

Cher Monsieur Bigart,
[...]
Je suis vraiment confus des éloges que vous m'adressez pour mon discours, j'y suis d'autant plus sensible que, venant d'un chef tel que vous qui n'a pas précisément l'habitude de gâter son personnel par d'aussi bonnes paroles, ces éloges ont plus de prix pour moi. Je n'ai fait en somme qu'obéir aux impulsions de mon cœur en parlant de M. Leven[54] comme je l'ai fait. C'était du reste un devoir sacré pour tout le personnel en général et d'autant plus impérieux pour moi que j'ai été un des rares privilégiés admis dans l'intimité de M. Leven à qui il ait été donné d'apprécier les trésors de bonté que recelait le cœur de notre cher président. Tenez, Mme Confino même, qui jouit d'une santé si précaire, s'est imposé un effort au-dessus de ses forces

pour assister à la cérémonie, elle qui n'avait jamais mis les pieds, et pour cause, dans un lieu public depuis l'incendie de Balata[55]. Ceci qui n'a l'air de rien pourtant en dit long sur les sentiments d'affection du personnel pour M. Leven et pouvait vous prouver mieux que ne sauraient le faire tous les discours la place qu'occupait notre cher président dans le cœur de tous les professeurs.

Qui le remplacera, dites-vous, dans le rôle de protecteur et de suprême justicier? Puisque vous posez la question, voulez-vous me permettre d'y répondre? Pourquoi ne serait-ce pas vous qui rempliriez à présent ce beau rôle? Vous n'avez pas d'enfants, pourquoi n'essayeriez-vous pas de vous faire une famille de la grande famille de l'Alliance? J'entends bien ce que vous allez m'objecter: qu'il faut pour cela des aptitudes spéciales, que c'est affaire de caractère, de tempérament, de vocation, bref que vous ne sentez pas en vous l'étoffe d'un Leven... Oui, eh bien, écoutez cette histoire:

C'était au mois de mai 1885. Un gros garçon de manières quelque peu frustes, disons le mot à demi sauvage, débarquait à Paris sans sou ni maille, mais avide de s'instruire. Il se présente sans crier gare devant M. Loeb[56] et demande son admission à l'École orientale. Le regretté S. Kann[57] était présent à l'entretien. Séance tenante, il fut décidé que le candidat à l'École orientale serait admis à l'Institution Springer[58]. Un fonctionnaire du secrétariat fut chargé de le conduire à l'institution en question. En route, il eut vite fait de se rendre compte de la détresse... matérielle de l'étranger qui n'avait rien pris depuis vingt-quatre heures. Sans hésiter, le fonctionnaire tira une belle pièce de cent sous de la poche et lui dit: « Voilà de quoi dîner ce soir. Demain, vous n'avez plus besoin de rien puisque vous rentrez à l'école. » Notez que le fonctionnaire en question était alors à ses débuts dans la carrière et que ses appointements ne devaient pas être très élevés. Mais ce fut fait avec tant de simplicité que le gros garçon en fut ému dans ses fibres les plus profondes et qu'il voua dès lors à ce fonctionnaire une reconnaissance dont il ne s'est jamais départi.

Le gros garçon n'était autre que votre serviteur et le fonctionnaire avait nom: Jacques Bigart. Il m'est impossible de m'imaginer qu'il n'ait à son actif quelques-unes de ces belles actions, d'autant plus belles qu'elles sont cachées. Il y a trente ans de cette histoire, vous voyez, cela ne nous rajeunit ni l'un ni l'autre. Vous me direz que depuis lors il s'est passé bien des choses. Vous êtes à la tête du secrétariat, le Comité central a une confiance illimitée en vous, vous ne sauriez vous soustraire à certaines responsabilités. D'accord. Les professeurs, les anciens du moins, ceux qui ont déjà blanchi sous le harnais, ne sauraient méconnaître la nature délicate de vos fonctions, ils sont conscients des responsabilités qu'elles entraînent. Nous admettons volontiers qu'il est des cas où vous devez vous montrer sévère, voire même inflexible. Mais être bon, cela ne veut pas dire être faible. M. Leven qui était la bonté incarnée était-il taxé de faiblesse ? Remarquez que tout le monde — j'entends par là le personnel de l'Alliance — sait à quoi s'en tenir sur vos sentiments les plus intimes. On sait de quels tendres soins vous avez entouré la vieillesse de votre sainte mère et l'on se dit qu'un homme qui avait ce culte pour sa mère, qui professait à ce point le sentiment de la piété filiale ne peut pas avoir un cœur sec. Au fond, ce que nous vous demandons, c'est d'accueillir nos doléances avec un peu de bienveillance, de les examiner dans un esprit d'équité et si vous êtes obligé d'y répondre par un refus, qu'au moins ce refus ne soit pas conçu en des termes froids, tranchants, mais enveloppés d'une formule de regret qui en atténue l'amertume. En somme, les Orientaux sont des grands enfants qu'on peut mener par le sentiment. Doués d'une excessive sensibilité, ils vibrent au moindre mot de réconfort et d'encouragement. Les bonnes intentions, lors même qu'elles ne seraient pas suivies d'effet, agissent puissamment sur eux. Que ne ferait-on pas d'eux en les prenant par de bonnes paroles. Il ne vous en coûtera rien d'en faire l'essai. Vous le pourrez d'autant plus aisément que vous n'aurez pas à faire violence à vos sentiments les plus intimes. Vous n'aurez qu'à donner libre cours au fond de bonté naturelle qui est en vous. Ne vous en défendez pas ; s'il me fallait une preuve de plus de ce que j'avance, je la trouverais dans la lettre que vous m'avez écrite. Si c'était pour me remercier de la cérémonie, vous auriez pu m'envoyer un mot banal écrit à la machine ; j'aurais trouvé cela tout naturel. A quel sentiment avez-vous obéi en m'écrivant deux bonnes pages de votre écriture personnelle ? Je vous le dirai moi. A l'affection que vous aviez pour notre cher Président. Tant qu'il vivait, vous n'analysiez pas vos sensations, vous trouviez cela tout naturel. Ce n'est que depuis sa mort que vous sentez l'intensité du sentiment que vous aviez pour lui et du vide qu'il a fait autour de vous. De voir que quelqu'un a été sincère dans l'expression de ses regrets, d'avoir en quelque sorte reflété vos propres pensées, vous en avez été touché et vous le lui avez dit. N'est-ce point de la bonté cela? Puisque je vous parle à cœur ouvert, je vous dirai qu'il y avait chez moi un fond d'amertume à la suite d'une scène très pénible qui s'est passée en 1909[59]. Eh bien tout cela a été balayé, emporté par le souffle vivifiant de votre bonne lettre. Il ne reste plus que le souvenir lumineux de l'histoire d'il y a trente ans.

Ce que vous avez fait pour moi, faites-le pour les autres. Notez que je ne suis en ce moment le porte-parole de personne. Je vous ai parlé à cœur ouvert, dévoilé le fond de ma pensée. Quoique vous pensiez de ma lettre, je ne regrette pas de l'avoir écrite.

Veuillez agréer, Cher Monsieur Bigart, l'expression de mes sentiments dévoués.

A. CONFINO

(Archives de l'A.I.U., Algérie, I.F., 1 b)

Tout en éclairant d'un jour humain le caractère froid et renfermé de Bigart, ce remarquable document met en relief les liens étroits d'affection qui pouvaient exister, malgré les conflits, entre la direction de l'Alliance et des enseignants qu'elle avait fait venir, tout jeunes encore, de terres et de cultures lointaines pour les former au métier d'instituteur. Chez la plupart, l'idéalisme et le dévouement à la cause dont ils s'étaient imprégnés à l'E.N.I.O. jouèrent un rôle déterminant. La lettre suivante d'un jeune professeur occupant son premier poste est caractéristique en ce qu'elle reflète avec précision les sentiments qui animaient les plus fidèles serviteurs de l'organisation:

15 février 1929

Monsieur Navon,
Directeur de l'École normale israélite orientale,
Paris.

Monsieur et cher directeur,
[...]
Les premiers jours que j'ai passés ici, mon souvenir tout tendu vers l'École, que je venais de quitter, me faisait voir un abîme immense qui devait séparer, en un temps si court, deux vies si dissemblables. Triste, je me laissais aller très souvent à évoquer mon existence de quatre ans écoulée sous vos ailes, comme on aime, parfois, s'envoler

vers un rêve pour se sauver de la réalité. Et au réveil de ces évocations hallucinées, je me cognais à une réalité qui, hélas! s'annonçait triste. Rejeté brusquement de ce coin d'Auteuil où semblent concourir tant d'éléments propices à l'épanouissement des jeunes âmes, au pied de ce morne Atlas, je souffrais. Les hommes, ici, m'étaient aussi étrangers que la terre. Tout respirait l'ignorance. La ville, avec ses maisons sombres et basses sous des terrasses monotones, me donnait déjà la nostalgie du parc ensoleillé que je venais de quitter. Tout était contraste avec ce que ma mémoire m'offrait de souvenirs vivants. L'atmosphère était suffocante et poussiéreuse dans ces rues où grouillait une foule d'Arabes en burnous blancs, et de Juifs à calottes noires. C'était là un spectacle dont l'originalité aurait sans doute touché toute âme plus sereine que la mienne.

J'accusais l'injustice du destin qui m'avait ainsi jeté au milieu de cette foule dont rien ne pouvait me rapprocher. Et chaque jour passé dans votre école devenait un regret amer.

Par la suite encore, d'autres difficultés que j'ai vu surgir sur ma route m'ont donné la conviction que ces débuts dans la vie n'étaient si pénibles que parce que c'étaient de vrais débuts. J'ai cherché la cause de ce malaise que j'éprouvais si fortement et j'ai vu que c'était l'habitude prise d'une douce période de ma vie, sur laquelle j'avais vu se pencher tant de visages affectueux qui la purifiaient de toute peine, et qui ne pouvaient me laisser soupçonner un instant de quoi mon existence plus tard devait être faite.

Maintenant que le calme est venu après cette période trouble où j'allais parfois jusqu'à la révolte, je vois qu'en réalité, la vie est plus continue, plus cohérente que je ne croyais. Que pouvait bien supposer, en effet, cette heureuse existence que je venais de passer dans votre école, si ce n'était l'accomplissement d'une pensée que je connaissais bien et dont, pour m'être écarté, je souffrais tant. Et j'ai vu alors que je n'aurais pas connu l'école, si je ne devais, demain, connaître également la fin à laquelle l'école me destinait. Cette fin, combien je la trouve naturelle à la lumière de la résignation. Avoir été formé par vous n'était qu'un moyen, pour vous, de former mille autres âmes. J'ai compris la beauté de cela, et j'ai vu mes ténèbres se dissiper.

Depuis, j'ai pénétré dans cette masse de Juifs arriérés, mes frères par le sang et par l'esprit, et devant qui mon premier mouvement avait été le recul. Et j'ai vu dans leurs yeux ternis l'acceptation humiliée de leur infériorité, de leur misère morale. Dans leurs poitrines creuses et courbées à la tâche, j'ai entendu chanter l'espérance que, demain, leurs enfants ne seront pas des misérables comme eux. De cette attitude abattue, de cette longue fatigue qui les enveloppe, j'ai senti se dégager comme un appel émouvant et tragique à la vie large de leurs frères émancipés, à la libération enfin, par le savoir, des chaînes de l'ignorance. J'ai sympathisé avec eux et j'ai été convaincu qu'il est impossible autrement que par un contact direct avec cette misère vivante, d'apprécier à sa juste valeur la tâche de l'Alliance, et de l'aimer.

En classe, mes débuts furent également pénibles. Je me trouvais le premier jour en face d'une quarantaine d'enfants très jeunes, très sales, très pauvres. Leur vue m'écœurait. Tout leur visage disparaissait sous quelque chose de noir qui était des mouches. Il me fallait commencer par gagner leur confiance et je me découvrais étranger par la langue. L'atmosphère était chaude, malsaine. Au-delà de la fenêtre, ma vue se heurtait à une muraille formidable, l'Atlas, géant sombre qui s'élevait jusqu'au ciel et qui semblait placé là exprès, par la même main qui m'y avait conduit, afin de priver mes yeux du ciel et de l'horizon.

Et maintenant, c'est un véritable plaisir de me trouver à cette même place, devant ces mêmes enfants aux visages éveillés et riants, qui se pressent pour recevoir la becquée spirituelle. Ce qui hier était ma prison, maintenant est devenu le lien loin duquel la vie semble comme dénudée d'intérêt. Sans doute tout n'est pas d'une beauté dans cette vie à m'enivrer tous les jours. Mais aussi, des yeux qui brillent, un front qui se plisse, une petite bouche qui se tord et bégaie timidement quelques paroles mal prononcées qui contiennent la vérité, comme la gangue contient le métal pur, c'est une joie qui peut consoler.

Voilà, cher Maître, tout ce qui fait que, maintenant les regrets que j'éprouve quand j'évoque ces quatre heureuses années, se sont adoucis.

[...]

Votre ancien élève
Signé: ESKÉNAZI

(Archives de l'A.I.U., France, IV, E, 4 d)

DEUXIÈME PARTIE

LE DISCOURS DES ENSEIGNANTS
ET LEUR « MISSION CIVILISATRICE »
AUPRÈS DES COMMUNAUTÉS JUIVES
EN TERRE D'ISLAM

I

La régénération morale

Le discours tenu par les instituteurs et les institutrices de l'Alliance, la façon dont ils percevaient les communautés sépharades étaient fortement teintés d'idéologie, ainsi qu'il ressort de leur correspondance avec Paris. Assimilés à l'E.N.I.O., les positions et les principes de l'Alliance étaient renforcés par des circulaires émanant de Paris au fil des années. Ces dernières expriment avec précision les différentes composantes de ce discours et trouvent un écho immédiat dans les lettres rédigées par le personnel. L'Alliance ne se proposait pas moins que de transformer en profondeur les communautés juives d'Orient et d'Afrique du Nord, grâce à son réseau d'écoles et à son action pédagogique. La mission civilisatrice du maître consistait à répandre les valeurs de la civilisation occidentale telle que la concevait l'idéologie émancipatrice du judaïsme européen. Une fois occidentalisé et civilisé, le Juif deviendrait, dans le pays où il vivait, un citoyen honnête et vertueux. Le modèle en était fourni par le Juif émancipé et moderne d'Europe occidentale. Ainsi, la tâche du maître était moins l'instruction que l'éducation, une éducation où les valeurs « morales » se devaient d'occuper une place centrale. Les Instructions de 1903 soulignent l'importance cruciale accordée à la réforme des mœurs et des mentalités.

Le véritable objet des écoles primaires, surtout en Orient, est moins l'instruction que l'éducation. L'éducation comprend à la fois l'éducation intellectuelle et morale.

L'éducation morale est donnée en partie par l'enseignement religieux et par la famille, mais elle doit être fortifiée et développée par les professeurs de l'Alliance. L'enseignement tout entier doit être moral, il doit tendre, par des voies secrètes et une action continuelle mais invisible, à élever l'âme et l'esprit de l'enfant et à créer en lui une atmosphère morale qui le soutient et l'élève. Une des principales tâches des maîtres sera surtout de combattre les mauvaises habitudes plus ou moins répandues parmi les populations orientales, l'égoïsme, l'orgueil, l'exagération du sentiment personnel, la platitude, le respect aveugle de la force ou de la fortune, la violence de passions mesquines. Les vertus qu'il faut chercher à inspirer aux enfants sont l'amour du pays, l'amour de tous les hommes, l'amour et le respect des parents, l'amour de la vérité, la probité, la loyauté, la dignité du caractère, la noblesse des sentiments, l'amour du bien public, l'esprit de solidarité, le dévouement et l'esprit de sacrifice pour l'utilité commune, l'esprit de suite aussi et d'application, l'amour du travail.

L'éducation intellectuelle, qui ne peut être séparée de l'éducation morale, appelle également tous les soins du professeur. L'enseignement doit avoir principalement pour objet d'apprendre à l'enfant à bien observer et à penser juste. La somme de connaissances précises que le maître peut donner à l'enfant sera toujours très restreinte, l'enfant en oubliera une grande partie quand il aura quitté l'école, mais il ne perdra jamais les bonnes habitudes intellectuelles qu'il aura contractées à l'école, l'art d'observer, de réfléchir, de penser, de se soustraire aux passions irréfléchies et aux mirages de l'imagination, si puissants en Orient. A cet art, le maître joindra un ensemble de notions élémentaires et générales sur le monde, sur la nature, sur les sociétés humaines. Nulle part de telles notions ne sont plus nécessaires qu'en Orient. L'enfant doit pouvoir sortir du milieu étroit, borné et quelquefois misérable où il se trouve, et prendre une connaissance exacte et durable de l'univers, de la nature, de l'œuvre séculaire de la civilisation[60].

L'Orient était le dépositaire de tous les maux qu'il fallait extirper. En accord avec son temps, l'Alliance ne doutait pas de la supériorité de l'Occident dans tous les domaines de l'existence ; par conséquent, l'occidentalisation était la seule voie du progrès, la seule façon de transformer le Juif oriental « dégénéré » en un citoyen modèle acquis à la modernité.

Quel était, quel est le but de l'Alliance en dotant d'écoles primaires les communautés d'Orient et d'Afrique ? En premier lieu, d'apporter un rayon de civilisation de l'Occident dans les milieux dégénérés par des siècles d'oppression et d'ignorance : ensuite, en fournissant aux enfants les éléments d'une instruction élémentaire et rationnelle, de les aider à trouver un gagne-pain plus sûr et moins décrié que le colportage ; enfin, en ouvrant les esprit aux idées occidentales, de détruire certains préjugés et certaines superstitions surannées qui paralysaient l'activité et l'essor des communautés. Mais l'action de l'Alliance visait aussi et principalement à donner à la jeunesse israélite et, par suite, à la population juive tout entière une éducation morale plus encore qu'une instruction technique, à former, plutôt encore que des demi-savants, des hommes tolérants, bons, attachés à leurs devoirs de citoyens et d'israélites, dévoués au bien public et à leurs frères, sachant concilier enfin les exigences de la vie moderne avec le respect des traditions anciennes[61].

Ces sentiments étaient partagés par les enseignants, qu'ils fussent en poste au Maroc, en Tunisie ou en Iran.

L'OCCIDENTALISATION PAR L'ÉCOLE : DAMAS, 1905

Damas, décembre 1905

[...]
Quand on voit l'ensemble de nos élèves, leur aspect général impressionne assez favorablement. Vous connaissez l'affreux vêtement des Syriens ; une longue robe, étoffe voyante, par-dessus laquelle on passe un veston court en été, un pardessus en hiver. Les pieds sont nus dans des babouches sans talons. Les robes d'enfants sont en indienne ou en cotonnade indigène. Quand elles sont sales ou déchirées, ce qui, vous pensez bien, est assez fréquent, les garçons sont repoussants et ils ressemblent à des mendiants. Nous tenons à ce que nos élèves portent l'habit européen : veston et pantalon. Ils y ont meilleure mine et en éprouvent plus de respect pour eux-mêmes. Le fait a l'air paradoxal. Il est vrai cependant que dans leurs robes, les enfants ont plus de laisser-aller, moins de tenue que dans leurs habits. On dirait qu'affublés de leurs *imbaz*[62], ils se sentent plus « arabes » et partant plus semblables à tous ces gamins

qui n'ont fréquenté aucune école, qui ignorent la politesse, les bonnes manières, le respect des autres et d'eux-mêmes. L'effet est d'ailleurs le même sur les grands que sur les petits et à peu près général. Un Syrien, dans son habit européen, a l'air de se croire supérieur à ses compatriotes en robe, et s'observe bien davantage que lorsqu'il est dans son *imbaz*. — Donc, nos élèves habillés à l'Européenne ont l'air plus propres, d'autant plus que nous veillons à ce que leurs vêtements soient toujours intacts, sans trous béants par où passent chemises et caleçons. Nous exigeons journellement que les têtes soient lavées, les cheveux coupés, les visages et les mains débarrassés de leur crasse. Je ne vous dirai pas que tout cela va tout seul, la propreté n'étant pas la dominante des habitudes des populations arabes, mais enfin avec de la persévérance nous arrivons tout de même à obtenir des résultats relativement satisfaisants.

A. Alchalel

(Archives de l'A.I.U., France, XIII, F, 23-24)

LA RÉGÉNÉRATION MORALE ET MATÉRIELLE: TUNIS, 1908.

Tunis, le 6 février 1908

[...]

Après un tiers de siècle d'efforts constants, si l'ignorance et la superstition ont cédé le pas à plus de lumière, les conceptions, les sentiments, les mœurs de nos coreligionnaires ne se sont que très superficiellement modifiés.

Leur intelligence est manifeste, leur activité reconnue, mais par quelles autres qualités se recommandent-ils à la sympathie des non-israélites, du Français et de l'Arabe? Faut-il rappeler leur servilisme dans la misère, leur peu de respect de leur personne, l'ostentation et la morgue de leur opulence, la vulgarité de leurs manières, leurs habitudes d'intempérance, leurs façons de penser et d'agir rarement loyales et presque toujours empreintes de calcul et de ruse, leur répugnance pour les travaux rudes où peine la majorité des hommes?

Ces défauts ne sont pas irréductibles et nous estimons qu'il y a lieu d'entreprendre et de mener vigoureusement d'abord une œuvre d'éducation physique et morale et ensuite une œuvre d'éducation professionnelle.

Au petit juif de la *Hara*[63] qui n'a hérité de ses ancêtres pour toute qualité précieuse que celle d'endurer avec vitalité les souffrances et les privations, il faudra tout imposer de ce que la raison intérieure dicte à un homme libre, fils de parents libres.

L. GUÉRON

(Archives de l'A.I.U., Tunisie, II, C, 5).

L'ÉDUCATION MORALE: IRAN, 1910

Chiraz, le 3 août 1910

[...]

S'il est relativement aisé de réaliser les différentes parties du programme..., il ne semble pas qu'il soit aussi facile de modifier la nature morale de nos élèves. Nous avons à faire à de petits êtres amoraux, pour qui le mensonge, la dissimulation, la délation, l'improbité sont aussi naturels que les qualités opposées chez les petits occidentaux. Ils ont reçu en héritage ces tares pour la disparition desquelles nous avons à entreprendre une action lente, méthodique, persévérante, continue, inlassable, une lutte de tous les instants et qui doit être menée parallèlement, sous peine de complet insuccès, avec celle à poursuivre auprès des parents... Et quelle vive satisfaction morale, quel sujet de légitime fierté ce ne serait-il pas pour vos professeurs de réussir enfin à extirper chez nos populations scolaires tous les bas sentiments qu'il nous est donné de déplorer en elles: l'envie, l'égoïsme, l'amour immodéré de l'argent, l'absence de tout amour-propre, et à y substituer les vertus contraires: la tolérance, la pitié, l'esprit de solidarité, le désintéressement et la dignité personnelle! Le jour où nous aurons obtenu ce résultat, où nous aurons opéré cette merveilleuse métamorphose, nous aurons sauvé le judaïsme persan de la profonde déchéance dont il offre à présent le navrant spectacle.

[...]

E. NATAF

(Archives de l'A.I.U., France, XII, F, 22)

II

L'éducation et l'émancipation des femmes

Un aspect essentiel de cette œuvre de « régénération » concernait la transformation de la femme juive orientale. Sur ce plan, le travail de l'Alliance allait s'avérer tout à fait révolutionnaire. Grâce à leur inflexible détermination, ses représentants réussirent à modifier le statut de la femme juive dans les communutés sépharades. La femme devait être l'égale de l'homme, sa compagne dans l'existence. La condition servile à laquelle la plupart étaient réduites était violemment dénoncée par les instituteurs, et plus encore par les institutrices qui avaient elles-mêmes échappé à cette vie étouffante[64]. On comprend donc que les écoles de filles fussent considérées comme vitales pour l'amélioration de la condition de la femme en milieu sépharade. Cependant, l'éducation des filles revêtait également une importance cruciale en raison de son impact sur les générations futures. C'était la femme qui, en tant que mère, transmettait à ses enfants les plus nobles valeurs. Si l'Alliance voulait toucher les générations à venir, elle devait avant tout éduquer et civiliser l'élément féminin de la population juive. Les *Instructions* de 1903 insistent très nettement sur ce point.

Aux qualités que nous souhaitons développer chez la généralité de nos enfants : la droiture, l'amour de la vérité et du bien, la bonté, le dévouement aux autres, doivent se joindre chez les jeunes filles quelques qualités spéciales : la douceur, la modestie, la simplicité dans la mise, le désir de briller autrement que par un étalage ridicule de bijoux ou de falbalas, le sentiment de l'égalité des riches et des pauvres, etc. Les défauts de caractère et d'éducation des femmes, en Orient et en Afrique, tiennent à un état social déjà trop ancien pour pouvoir être modifiés du jour au lendemain ; mais la femme a un don d'assimilation si merveilleux, elle sent si vivement les nuances, qu'il faudra relativement peu de temps pour obtenir de bons résultats et nous ne saurions trop recommander à votre attention ce côté moral de votre tâche. Nous savons qu'en général, l'éducation tient plus de place dans les écoles de filles que dans les écoles de garçons, aussi ces lignes ne tendent-elles qu'à vous encourager à persévérer dans cette voie[65].

Encore une fois, l'Orient était responsable de toutes les tares qu'il fallait extirper avant de parachever la mission de la civilisation.

Bien qu'ils eussent pour but d'élever la femme juive à une position égale à celle de son homologue masculin, les enseignants et la direction de l'Alliance allèrent rarement au-delà de ce qui était acceptable aux yeux de la bourgeoisie européenne de l'époque. Les jeunes filles les plus pauvres avaient la possibilité d'apprendre un certain nombre de métiers comme celui de couturière, mais cet enseignement était considéré comme secondaire au regard de l'objectif premier : éduquer les filles à devenir de bonnes mères. En effet, seule une « mère-éducatrice » évoluée pouvait rompre l'engrenage par lequel se reproduisaient tous les vices qui avaient engendré des sociétés « dégénérées »[66]. Voici trois textes éloquents se rapportant au Maroc :

UN REGARD FÉMINISTE SUR LES FEMMES DE FEZ, 1900

Fez, le 25 novembre 1900

[...]

Quelques mots sur la femme fezienne. — Vous n'ignorez pas sans doute, la situation dégradante et toute de servitude, qui afflige ici le sexe féminin. C'est l'homme qui est ici le maître et son despotisme revêt à l'égard de la femme les apparences les plus dures. La femme est l'esclave qui doit obéissance passive à son seigneur et maître, et dans toute maison fezienne si vous y entrez, vous distinguerez à peine la bonne de la maîtresse de maison. Toutes deux font les mêmes travaux, toutes deux mangent à la cuisine ; à la table du maître sont seulement admis les fils ; les filles sont appelées nécessairement à subir le sort de la mère. Dès sa naissance, la femme fezienne subit son infériorité. Tandis qu'on pousse des cris de joie et qu'on fait des réjouissances sans nombre à la naissance d'un garçon, ce sont des cris d'enterrement qui accueillent la venue au monde d'une fille qui n'a d'autre péché que celui de naître.

Je vous avoue qu'en qualité de femme et de féministe, ces pratiques ne laissent pas de me révolter et je voudrais pouvoir réformer cette société si défectueuse sous tant de rapports. Les filles sont si aimées de leur père que, sitôt qu'elles sont capables de parler, de marcher, on leur cherche un mari, moyen commode pour se débarrasser d'elles ; ceci explique la déplorable habitude des mariages précoces.

J'en ai cherché longtemps l'origine et puis maintenant avancer une chose certaine : on marie les filles dès leur jeune âge pour en être plus tôt débarrassé. La fille est donc une malédiction pour sa famille et le père croit avoir fait plus que son devoir en la rendant esclave d'un autre tyran qui aura cette fois le nom d'époux.

C'était donc de cette population arriérée que j'allais appeler à moi des esprits désireux d'apprendre et de savoir ? Un père dont le dernier souci est sa fille, va-t-il vouloir s'intéresser à mon école, me confier ses enfants pour leur donner une éducation, va-t-il s'imposer des sacrifices pour payer l'écolage de sa fille ? Tel était le problème que je me posais tous les jours, j'en sortais avec une migraine et une déception de plus.

Aujourd'hui, je puis m'estimer heureuse, les craintes que j'avais se sont évanouies et j'ai le plaisir de constater que ces parents qui inspirent si peu de confiance sont cependant accessibles au bon, à l'utile.

[...]

Mme N. Benchimol

(Archives de l'A.I.U., France, XIV, F, 25)

UN RAPPORT COMPATISSANT SUR LA CONDITION DE LA FEMME : MARRAKECH, 1902

Marrakech, le 13 août 1902

On a parlé à maintes reprises de la situation de la femme dans les villes d'Orient et d'Afrique. Partout à l'égard de la femme la même indifférence de la part du mari, partout reléguée au second plan, bien heureuse encore si on ne la bat pas et si on ne lui fait pas subir de mauvais traitements. A Marrakech, plus que partout ailleurs, cette malheureuse situation se fait encore plus sentir ! Examinons le cas d'une famille aisée où la femme n'a pas besoin de travailler pour gagner son pain. Son existence, malgré cela, n'est pas dépourvue de soucis. Elle ne doit pas et d'ailleurs elle n'ose pas lever la voix devant son mari. Son opinion, bonne ou mauvaise, est considérée comme nulle et le père en véritable tyran fera ce que bon lui semblera soit à l'égard de sa femme soit à l'égard de ses enfants ! Défendre ses enfants contre la férule paternelle, il ne faut pas y songer ! Quand il semble bon au père de battre son enfant, la maman doit rester immobile dans son coin, même quand tous ses sentiments de mère se révoltent à la vue des traitements qu'on fait injustement subir à son garçon ou la plupart des fois à sa fille.

Il va de soi que la femme, même dans les familles bien aisées ne doit jamais être assise à la même table que son mari et que ses enfants (garçons). Une table haute, entourée de chaises, proprement servie, est prête le samedi et les jours de fête dans la grande salle, où le mari, les enfants mâles et les invités prennent place.

Dans une autre chambre, sur une petite banquette basse, avec une simple nappe pour tout ornement est préparée la table des femmes, des filles et des bonnes ; car ici les bonnes sont considérées comme enfants de la famille et mangent à la même table que leur maîtresse. Naturellement, tous les plats et les meilleurs morceaux passent d'abord à la table des hommes, le reste, s'il y en a, sera suffisant pour la nourriture des femmes.

Il m'a été donné, plusieurs fois, d'assister à des fêtes de famille : mariages, Bar-mitzvot, fiançailles. Dans tous ces cas, les fêtes se succèdent pendant plusieurs jours et toujours à la table d'honneur, aucune femme n'a le droit de s'asseoir ; je faisais il est vrai exception à la règle et les pauvres dames ouvraient de grands yeux, quand, pour me faire honneur, on me servait la première. C'est une marque de déférence qu'elles n'ont jamais connue, aussi leur étonnement était à son comble.

Dans les meilleures familles, la polygamie est permise et il n'est pas étonnant de voir les deux femmes habiter la même maison,

chacune occupant un étage, et qui plus est, vivre en bonne intelligence. J'ai en ce moment à l'école deux petites filles, enfants du
même père et non pas de la même mère ; je disais à l'aînée d'être plus
gentille avec sa petite sœur et de l'aider de temps à autre dans ses
études. Que m'a-t-elle répondu ? Mais elle n'est pas ma sœur, ma
mère n'est pas sa mère. Il faut dire qu'ici les fillettes ne voient leur
père qu'à de très rares intervalles, elles ne connaissent pour tout
parent que leur mère ! Les deux fillettes se considéraient naturellement comme tout à fait étrangères l'une à l'autre.

Donc, même sans avoir besoin de travailler et de peiner, la femme
dont le mari est aisé, est encore en butte aux mauvais traitements, de
son mari, à son indifférence, voire même à son mépris.
[...]

Mme M. CORIAT

(Archives de l'A.I.U., France, XIV, F, 25)

« LE MARIAGE DE RÉGINA » :
LES DÉBUTS DE L'OCCIDENTALISATION
ET LES FEMMES DE BAGDAD, 1903

Bagdad, le 4 février 1903
[...]
Dans toute la ville on n'entendait causer que du mariage de
Régina. Il faut d'abord vous dire que Régina est une ancienne élève
de l'école. Oui, disait-on, Régina est *à la franca* (expression qui
signifie « à l'européenne »), elle fait elle-même tout son trousseau
avec une couturière venue de l'Occident, elle fait venir des toilettes
d'Europe, elle n'accepte pas les bijoux du pays, elle se frise comme
un mouton.

Le jour de la cérémonie des quatre coins de la ville, le monde
accourt pour voir la mariée à *la franca*. Comme elle est de nos
élèves, j'ai tenu à aller la voir ce jour-là. La foule était compacte ;
avec peine on m'introduit dans une chambre au deuxième étage. La
mariée venait de finir sa toilette. Elle était ravissante, mais abattue.
Pourquoi avez-vous l'air si fatigué lui demandai-je ?

C'est que j'ai beaucoup travaillé, les jours et les nuits avec une
seule personne pour m'aider. Et deux larmes perlèrent à ses yeux.

Je vois auprès d'elle une dame de mes amies qui me dit : Voyez-
vous cette pauvre jeune fille comme elle est maigrie ? Eh bien ! c'est

parce qu'il lui a fallu lutter, lutter pour chaque pièce de son trousseau, non que ses parents lui refusent quelque chose mais ce qu'on lui apporte n'est pas à son goût. C'est une étoffe trop criarde que ses parents veulent qu'elle achète. Elle n'accepte pas. Ou bien c'est un bracelet pour les pieds qu'on lui apporte. Elle le refuse. Ou bien on veut lui mettre du rouge henné sur les mains et du noir sur les ongles ; elle proteste. Encore aujourd'hui, continue la dame, elle m'a fait appeler à son secours. Elle veut se coiffer comme elle en a pris l'habitude à l'école, on ne la laisse pas faire. Par force on veut lui mettre de lourdes breloques d'or au bout des nattes, la pauvre fille n'est pas habituée, cela la rendra malade.

Depuis qu'elle était toute jeune, elle fréquentait l'école et par conséquent elle n'en a pas porté. Pauvre victime me disais-je. Enfin le marié vient. Un rabbin donne la bénédiction, quel contraste entre les deux jeunes gens ! Elle, en robe de satin blanc grande traîne, fleurs d'oranger, un voile de tulle sur la figure, tout à fait la mariée d'Europe sauf les quelques bijoux en trop dont il était impossible de ne pas la parer.

Lui, en *ziboun* (costume du pays) tramé d'or et un grand manteau sur les épaules. Il n'a pas dû fréquenter l'école, donc il n'a pas eu le temps de se civiliser quelque peu. Mais qu'importe ? Voilà sa femme qui s'acquitte de cette tâche. Elle lui a fait porter le costume européen, elle dîne avec lui à table et non pas à la cuisine comme font toutes les femmes de Bagdad, et contre le gré de tout le monde elle s'habille d'après les journaux qu'elle reçoit.

Elle ne se cache pas devant les visiteurs, même si ce sont des messieurs qui viennent pour son mari. Elle n'a pas oublié l'école, elle vient de temps en temps voir ses anciennes compagnes avec le consentement de son mari. Son intérieur s'harmonise avec sa personne. Lorsque je suis allée chez elle quelque temps après son mariage, j'ai trouvé la maison propre et bien arrangée. Pour arriver à tout cela encore maintenant elle souffre bien souvent.

Parfois son mari ne veut pas d'une innovation, souvent ses beaux-parents se moquent d'elle. De loin ses belle-mère et belles-sœurs observent ses actes avec une malveillance manifeste. Elles se disent : « Nous allons voir si elle saura faire ceci, si vraiment elle sait coudre. » Elles sont prévenues contre les élèves de l'école parce qu'elles savent lire dans les livres et ici une savante (c'est ainsi qu'on appelle une élève sortant de l'école) ne peut jamais faire une bonne ménagère. Mais nos anciennes élèves montrent bien qu'on se trompe. Quelques changements qu'elles ont essayés chez elles ont réussi et maintenant on leur trouve du jugement, de l'habileté.

Régina a un bébé dont elle s'occupe assez bien. Les premières fois qu'elle lui donnait son bain, sa belle-mère se sauvait de la maison disant Régina va faire mourir son enfant. Mais à présent elle ne se sauve plus car elle voit que l'enfant a bonne mine, et elle a même du plaisir à le voir propre et bien habillé.

Voilà une élève qui a réussi, mais combien de souffrances lui a-t-il fallu endurer! D'autres en même temps échouent bien qu'elles aient de l'énergie. Le proverbe dit : « Là où la chèvre est attachée, il faut qu'elle broute. » Sans doute qu'elle essaye d'aller plus loin mais si elle ne peut pas elle se résigne.

Enfin ces premières fillettes sont des victimes car c'est très pénible de vivre dans une maison où chacun vous regarde d'un air défiant. La lutte contre tant de gens coalisés contre elles, contre leurs idées, contre leurs actes est difficile à soutenir. Tout de même leur effort n'est pas perdu ; ce qu'elles n'ont pu obtenir elles-mêmes, elles laisseront leurs enfants le faire, et alors commencera une nouvelle génération plus relevée, plus éveillée, plus apte à comprendre la morale qu'on leur enseigne dans les écoles. Ici la femme est, comme dans tous les pays non civilisés, très ignorante. Elle n'admet pas les innovations, elle est pour ainsi dire comme une servante à la maison, mais elle arrive toujours à faire faire ce qu'elle veut à son mari. C'est une influence vraiment extraordinaire. Puisqu'il en est ainsi, lorsque cette influence sera exercée par les jeunes femmes sortant de notre école, elle servira à améliorer les conditions de la vie des familles. [...]

Mme Dj. Douec

(Archives de l'A.I.U., Irak, I, C, 2)

III

La transformation
des structures sociales

Aux yeux de l'Alliance et de ses représentants, l'une des causes de la « dégénérescence » des communautés juives d'Orient résidait dans le déséquilibre de leur composition sociale, la population active se trouvant fortement concentrée dans le petit commerce, le colportage et l'usure. Tous les enseignants, à commencer par David Cazès à Volo dès 1872 et Samuel Hirsch à Tanger dès 1873, insistaient sur la nécessité de rendre les Juifs plus productifs par la transformation des structures sociales et le développement des métiers manuels et agricoles, thème que l'on retrouve dans tous les projets de réforme de la société juive qui ont vu le jour depuis le xviiie siècle[67]. Le retour à des professions « saines » et « productives » et le retour à la terre formaient les deux piliers du programme de régénération.

En 1870, Charles Netter, l'un des dirigeants de l'Alliance, fonda en Palestine, alors sous domination ottomane, la première ferme-école, Mikweh Israël, chargée de donner un enseignement agricole aux élèves sortant des écoles de l'Alliance[68]. De nombreux élèves furent envoyés dans cet établissement et plus tard dans d'autres institutions similaires, telles que les fermes-écoles de Djédeida en Tunisie ou de Or Yehouda en Asie mineure, pour apprendre les dernières techniques agricoles, dans l'espoir qu'ils deviendraient un jour cultivateurs.

Outre l'enseignement agricole, l'apprentissage de métiers revêtait une importance primordiale aux yeux de l'Alliance.

Le projet formulé par Cazès et Hirsch de placer les élèves des écoles chez des maîtres artisans locaux fut très vite adopté par le comité central qui en fit une constante de son système éducatif. A Jérusalem, l'École professionnelle dispensait un enseignement plus poussé. Cette école, ainsi que le système d'apprentissage dans son ensemble, sans rencontrer un succès éclatant, permit néanmoins l'introduction de maintes nouvelles professions dans les communautés juives sépharades[69]. Ce souci de rendre les Juifs plus productifs resta toujours au cœur des préoccupations des instituteurs :

L'OEUVRE D'APPRENTISSAGE À SMYRNE, 1887

Smyrne, lettre reçue le 20 février 1887

[...]

Le nombre des garçons placés en apprentissage, depuis la fondation de l'œuvre (juillet 1878) est de 125.

Sur ce nombre, 57 sont devenus de bons ouvriers gagnant honorablement leur vie et les 39 n'ont pas encore terminé leur instruction professionnelle. Les autres ont changé d'état, ce qui n'est guère surprenant dans les premiers temps du fonctionnement de cette œuvre...

Les métiers exercés par nos apprentis actuels sont les suivants : typographe, chaudronnier, bronzier, forgeron, plombier, ferblantier, mécanicien, serrurier, tailleur, ébéniste, menuisier, sculpteur sur bois, sabotier, matelassier, peintre en bâtiment et tanneur.

Les autres métiers qu'il serait utile d'enseigner à Smyrne sont : marbrier, tonnelier, charron, carrossier, sellier, horloger, maçon, charpentier, orfèvre, graveur.

Nous nous occupons en ce moment de placer des jeunes gens dans les ateliers de chemin de fer. Après une période d'essai, qui a été fructueuse, nous nous attachons à donner la préférence aux métiers qui exigent à la fois plus de travail physique et intellectuel. Lorsque nous ne pouvons pas faire enseigner un métier de notre choix à Smyrne même, nous tachons d'envoyer des jeunes gens à l'étranger. C'est ainsi que nous avons pu former à Bordeaux trois ouvriers tonneliers, qui viennent de rentrer et à qui nous ouvrirons un atelier. En ce moment, nous avons trois apprentis dans l'École de Jérusalem et un autre à l'École de travail de Paris...

Les occupations des jeunes gens ou des jeunes filles pauvres n'ayant pas appris un métier manuel, sont en général :

a) Les garçons deviennent colporteurs, petits marchands, employés de magasin ou domestiques ;

b) Les filles travaillent à la journée dans des dépôts de vallonée et de figues ou se placent comme domestiques chez les israélites.

S. PARIENTÉ

(Archives de l'A.I.U., Turquie, LXXXVI)

DE LA NÉCESSITÉ D'ORIENTER LES JUIFS VERS L'AGRICULTURE, SMYRNE, 1898

Smyrne, le 27 novembre 1898

[...]

... L'instruction seule ne peut pas nourrir nos 2 500 élèves, les métiers seuls ne peuvent pas relever notre état matériel... Nous n'avons donc pas d'autre moyen de remédier à la misère terrible de notre communauté, qu'en dirigeant vers les travaux des champs une partie de notre population. C'est en revenant au travail sain, honnête et fortifiant de la terre que nous pourrons rendre à nos frères leur santé physique et morale, et leur assurerons, en même temps, le pain et l'avenir de leurs enfants... nous avons l'espoir de pouvoir inaugurer prochainement près de Smyrne une école agricole qui marquera pour cette communauté une ère nouvelle...

[...]

G. ARIÉ

(Archives de l'A.I.U, Turquie, LXXV, E)

LES FONDEMENTS IDÉOLOGIQUES DE L'ENSEIGNEMENT AGRICOLE, MIKWEH ISRAËL, 1900-1901

Enseignement. — Par ce mot j'entends tout aussi bien les cours théoriques que l'on donne aux élèves que les travaux pratiques auxquels ils sont soumis ; en un mot, c'est tout l'apprentissage agricole théorique et pratique qu'ils doivent faire à l'école. La durée de cet apprentissage est de cinq ans...

Il faut modeler et pétrir et leurs corps et leur âme et leur esprit à la nouvelle vie qu'on veut leur faire mener. Il faut lutter contre leurs tendances, contre celles de leurs parents, contre les exigences des conseillers étrangers, contre la gracilité de leurs corps. Il faut leur former des muscles, raffermir leurs os, combattre l'influence des nerfs par trop sensibles hélas ! chez les Juifs ; les endurcir à la fatigue afin de les rendre habiles au métier agricole. Il y a là toute une éducation physique et morale à entreprendre qui doit marcher de pair avec la préparation agricole. Et tout ce travail de longue haleine ne peut pas être fait trop rapidement. Il doit se faire par transition ménagée et continue, et ce n'est pas de trop de cinq ans pour cette lente métamorphose...

Il faut avouer franchement que l'école n'a fait des progrès et n'a pris une assise solide que depuis l'immigration des israélites russes en Palestine, depuis la création des colonies et depuis que l'idée d'agriculture s'est propagée de plus en plus parmi nos coreligionnaires.

Pour ces colonies, il fallait du personnel ; il fallait des aides pour les cultures que l'on y voulait entreprendre. Il était naturel qu'on vint les chercher chez nous...

La paysannerie juive est une chose si difficile à créer, et la paysannerie officielle et administrative n'a pas encore donné de brillants résultats !...

[...]

J. Niégo
(*Bulletin semestriel de l'Alliance israélite universelle*, 1901, pp. 152-156).

Nous sommes renseignés avec précision sur l'apprentissage à Salonique :

Davos, le 13 janvier 1908

RÉSULTAT DE L'ŒUVRE D'APPRENTISSAGE A SALONIQUE DE 1880 A 1908

Métiers	Patrons formés par l'œuvre d'apprentissage	Ouvriers formés par l'œuvre d'apprentissage	Ouvriers qui ont quitté Salonique	Ouvriers qui ont abandonné leur métier	Ouvriers qui trav. en ce moment à Salonique	Apprentis faisant leur stage
Brossiers		20	20			
Chaisiers	1	20	2	7	11	1
Casquetiers		1	1			
Coffretiers	2	19	2	3	14	4
Chaudronniers		1	1			
Cordonniers	4	16	5	3	8	4
Dentistes	1	2	2			
Encadreurs		5		4	1	
Ferblantiers		5	5			
Fumistes	2	21	5	3	13	
Forgerons	1	55	21	12	22	1
Horlogers	3					
Lithographes		1			1	
Marbriers		20	1	4	15	8
Menuisiers	10	107	13	29	65	21
Orfèvres	5	7	5	1	1	1
Passementiers	.	21	6	5	10	
Pharmaciens		3		1	2	
Peintres en bâtiment		2	1		1	
Relieurs	1	1	1			
Sculpteurs sur bois	2	2	1		1	7
Selliers		2		1	1	
Tailleurs	7	10	7	1	2	
Tapissiers	2	30	8	8	14	3
Tonneliers	2	4		2	2	1
Tourneurs		1	1			
Typographes		9	5	11	13	3
Totaux	43	405	113	95	197	54

N.B. Tous les patrons travaillent.

(Archives de l'A.I.U., Suisse A)

G. Arié

LES MÉTIERS EXERCÉS PAR LES ÉLÈVES SORTANT DE L'ÉCOLE PROFESSIONNELLE DE L'ALLIANCE À JÉRUSALEM, 1914

Jérusalem, le 1ᵉʳ février 1914

... Je vous présente, en ce qui me concerne le tableau intéressant notre école professionnelle :

TABLEAU DES APPRENTIS AU 31 DÉCEMBRE 1913

	Forgerons mécaniciens	*Menusiers*	*Sculpteurs*	*Chaudronniers*	*Piqueurs*	*Fondeurs*	*Selliers*	*Divers*	*Total*
a	107	115	30	19	40	10	6	11	338
b	85	50	37	14	7	10	1		204
c	66	20	23	5	2	10	2	4	132
d	34	4	5						43
e	24	11	9	2		5	1	3	55
f	88	58	42	36		14	3	6	247
g	4	5	2	1			1		8
Total	408	263	148	77	49	49	14	24	1,032

[*sic*, 1,027]

a. — exerçant en Palestine
b. — exerçant en Orient
c. — exerçant en Europe et Amérique
d. — résidence inconnue
e. — actuellement à l'école
f. — ayant abandonné le métier
g. — décédés

Les écoles professionnelles sont nécessaires dans tous les pays. En Orient elles sont indispensables. Et pour l'Alliance qui poursuit la régénération par l'instruction et le travail de nos coreligionnaires condamnés autrefois au colportage ou au petit commerce soit de par la misère industrielle du pays soit de par le fanatisme des artisans, l'école professionnelle apparaît comme une loi inéluctable pour la formation des ouvriers intelligents, des contre-maîtres instruits et des patrons expérimentés. En un mot c'est le seul établissement possible pour la formation de l'état-major du prolétariat conscient et valide. Cette école professionnelle doit recevoir les meilleurs apprentis triés sur le volet d'aptitude éprouvée pour en faire des ouvriers dans les travaux manuels les plus scientifiques et les moins répandus.

[...]

A. Antébi

(Archives de l'A.I.U., France, XI, F, 20)

L'IMPORTANCE DE L'ENSEIGNEMENT AGRICOLE: MAROC, 1924

Tanger, le 4 juin 1924

[...]

Agriculture. — Je me permets de revenir sur cette question. Vous me dites que des entreprises de ce genre n'ont aucune chance de succès lorsqu'elles sont dirigées par vous[70]: Ce que je vous ai demandé, quant à présent, c'est l'adoption du principe, on pourrait ensuite chercher les modalités de réalisation...

La question n'est pas là. Vous avez établi la nécessité de ramener à la terre un certain nombre de nos coreligionnaires ; ce que vous avez accompli ou inspiré pour le judaïsme russe et oriental est également utile au judaïsme marocain. Ici tous nos coreligionnaires, tous les élèves de nos écoles ont les yeux tournés vers le commerce, d'autant plus que quelques fortunes tapageuses ont été édifiées très rapidement dans ces dernières années. C'est là un danger pour l'avenir ; danger de déceptions, de misère pour les masses, danger de jalousie contre le succès individuel provoquant l'antisémitisme...

[...]

Y.D. Sémach

(Archives de l'A.I.U., Maroc, I, C, 1-2)

IV

La critique du judaïsme traditionnel

Le judaïsme tel qu'il était pratiqué par les Juifs sépharades et les Juifs d'Orient passait lui aussi pour avoir « dégénéré » sous l'effet des persécutions et de l'ignorance. L'ensemble du programme de « régénération » reposait sur une critique parfois violente de la société traditionnelle et de la culture populaire juives. La dénonciation des supersitions répandues parmi les Juifs, du fanatisme et de l'obscurantisme des rabbins, est l'un des thèmes récurrents de la correspondance des enseignants. En un sens, cela se comprend, puisque l'instituteur avait pour raison d'être l'édification d'un système éducatif appelé à se substituer à celui des autorités religieuses locales. Le travail de l'Alliance avait pour corollaire inévitable le démantèlement du système existant. Cherchant tous deux à façonner le cœur et l'esprit des jeunes générations, le rabbin et l'instituteur se livraient une concurrence directe ; la critique des us et coutumes indigènes faisait partie intégrante du Kulturkampf qui opposait deux systèmes de valeurs, l'un essentiellement laïque, l'autre fondamentalement religieux. D'ailleurs, les enseignants eux-mêmes se voyaient souvent comme des « missionnaires laïques ».

Cependant, pour bien comprendre le regard extrêmement sévère qu'ils portaient sur le judaïsme oriental et les communautés juives du Levant, il faut aussi tenir compte de leurs propres origines. Bien souvent, ils venaient de milieux similaires, sinon identiques, à ceux qu'ils dénonçaient. Leurs critiques étaient aussi une façon de justifier la voie qu'ils

avaient eux-mêmes choisi d'emprunter. Par leurs attaques, ils
réaffirmaient leur rejet de la civilisation orientale et leur
conversion à l'Occident. Dans certains cas, ce rejet pouvait
aller jusqu'à l'abandon de toute pratique religieuse, ce que le
comité central jugeait d'ailleurs inadmissible :

[...]
     Nous devons ajouter ici une observation qui a été souvent faite et
qui se rattache intimement à notre sujet : plus d'une fois il nous est
arrivé des plaintes sur la conduite privée et religieuse de certains
professeurs. Nous ne pouvons admettre que des maîtres de la
jeunesse juive, des fonctionnaires de l'Alliance offensent journellement les sentiments religieux des populations par l'insouciance qu'ils
affichent pour les règles de la nourriture, le sabbat, la fréquentation
des synagogues, etc. Par nos instructions imprimées, par nos circulaires, nous avons maintes fois invité les professeurs à l'observance
des pratiques essentielles de notre culte. Nous croyons cependant
utile de dire à ceux qui s'en écartent que nous ne leur donnerons plus
d'avertissement nouveaux, et que le comité ne maintiendra pas dans
leurs fonctions ceux des maîtres qui ne conformeront pas leur vie
privée aux enseignements qu'ils donnent à nos enfants[71].

     L'idéal pour les hommes de l'Alliance, comme pour les Juifs
européens « éclairés » du XIXe siècle, était un judaïsme épuré
de toute forme de « superstition » et de « fanatisme », un
judaïsme en complète harmonie avec la « raison » et la « civilisation ». Cela n'impliquait en aucune façon un affaiblissement
de leur sentiment d'appartenance au judaïsme. L'Alliance a
trop souvent été accusée d'avoir encouragé le mouvement
d'assimilation à la culture française dans les communautés
juives du Bassin méditerranéen. Bien qu'il soit en partie
fondé, ce reproche méconnaît l'essentiel : la direction de
l'Alliance et son personnel ne voyaient pas dans l'« assimilation » et l'attachement au judaïsme deux attitudes s'excluant
mutuellement. Bien au contraire, l'exaltation de la culture et
de la civilisation européennes et la défense d'un judaïsme en
parfait accord avec cette civilisation étaient au fondement de
leur idéologie de la régénération.
     Dans les faits, bien entendu, l'occidentalisation aboutit très

souvent à la sécularisation des communautés juives et à un recul de la religion. Non pas que l'Alliance considérât d'un bon œil cette évolution : en 1896, inquiète du relâchement de la foi et du désintérêt croissant des communautés du Moyen-Orient et d'Afrique du Nord pour la vie juive, elle envoya une circulaire enjoignant les maîtres à se montrer vigilants et à inculquer aux enfants les plus hautes valeurs du judaïsme et de la civilisation juive :

Nous aurions à regretter notre œuvre si le résultat était d'étouffer la foi dans les âmes juives, d'éteindre ce foyer du bonheur intérieur et cette source d'énergie qui a permis aux israélites de traverser des siècles de persécution et d'une oppression sans égale dans l'histoire. Les hommes qui ont créé l'Alliance, comme ceux qui la dirigent à l'heure présente, ont voulu au contraire fortifier et épurer le sentiment religieux chez les populations juives de l'Orient et de l'Afrique, donner à tous nos élèves, et par eux aux parents, des idées de dignité morale, les attacher à toutes les choses nobles et bonnes, au judaïsme, à son histoire et à ses traditions...

Nos instructions imprimées contiennent d'excellents conseils sur ce sujet et nous n'avons qu'à y renvoyer. Ce que nous tenons à signaler ici, c'est l'obligation pour nos maîtres de ne jamais se désintéresser de cette partie de leur mission. A ceux qui l'ont méconnue, nous disons : « Vous devez instruire, mais vous devez aussi moraliser ; vous devez former des élèves sachant tirer profit de l'instruction reçue à l'école, mais vous devez aussi former des hommes dont le bien-être matériel ne soit pas la préoccupation exclusive et l'égoïsme l'unique stimulant. Vous avez le devoir de faire la guerre aux préjugés et aux superstitions, mais vous avez aussi celui de cultiver et de maintenir le sentiment religieux, l'attachement au judaïsme, à ses doctrines, à son culte. Vous trouverez dans l'estime et la confiance des communautés la première récompense des efforts que vous aurez tentés pour faire des enfants de bons israélites, en qui vous aurez développé les qualités de cœur, la bonté, la compassion pour les faibles, le désir de se rendre utiles à leurs frères, le dévouement à la collectivité. L'égoïsme, l'indifférence au bien général, voilà les ennemis auxquels il faut faire la guerre. Vous ne pouvez plus dignement remplir votre devoir et rendre de plus grands services à la population juive qu'en combattant ces défauts chez les enfants dont l'avenir moral est entre vos mains[72]. »

Bien plus, au début du XXᵉ siècle, l'Alliance étendit son action à l'Algérie, lorsqu'elle se rendit compte que les jeunes générations, qui fréquentaient l'école publique, ne recevaient plus aucune éducation juive. Jusque-là, elle avait pensé que dans ce pays au moins, devenu partie intégrante de la France, la tâche de régénération pouvait être laissée au système éducatif français. Des signes croissants de déjudaïsation la poussèrent à créer des écoles où les enfants auraient la possibilité de suivre une instruction religieuse juive après leur journée à l'école publique. Dans son rapport annuel rédigé en 1901, le directeur de l'Alliance en Algérie résume bien les motivations de l'organisation :

ALGER, RAPPORT ANNUEL 1900-1901

Alger, le 27 septembre 1901

L'œuvre de l'Alliance en Algérie doit sa naissance à l'émotion soulevée dans le judaïsme par les excès antisémites de 1898. Absorbée en Orient et dans les autres contrées du nord de l'Afrique, l'Alliance avait jusque-là considéré l'Algérie comme ne faisant pas partie de son champ d'action. Ce pays n'était-il pas terre française, nos coreligionnaires n'y avaient-ils pas été appelés en 1870 à la dignité de citoyens de la République ? Quelle plus solide garantie de sécurité, quel plus fécond stimulant de régénération pouvait-on leur souhaiter ? Il n'y avait, pensait-on, qu'à se fier au temps, qu'à laisser agir la contagion civilisatrice pour voir bientôt grandir, à l'abri des lois, sous la poussée des institutions et des mœurs françaises, un judaïsme algérien rajeuni et émancipé, entrant tête haute dans la vie de la liberté. La crise antisémitique de 1884, le désordre moral où glissait de plus en plus la colonie, pouvaient déjà provoquer la réflexion, refroidir l'optimisme ; il fallut cependant la terrible explosion de 1898 pour éclairer l'état réel des choses. L'Algérie apparut alors comme le dernier des pays où les Juifs pourraient aspirer à une évolution régulière. Dépouillés en fait de presque toutes leurs prérogatives de citoyens, diffamés, humiliés avec un cynisme et une opiniâtreté jamais constatés ailleurs, exclus de la société, le cas échéant traqués, assommés comme des bêtes, mollement défendus, parfois persécutés par une magistrature sans caractère, ils se virent ramenés à la nécessité de s'inquiéter de leur droit de travail, de leur droit à l'existence. Eux qui avaient tant fait pour le développement économique de la colonie se voyaient foulés aux pieds par une multitude d'aventuriers, impatients dans la course après la fortune, de supprimer les concurrents. Ils les avaient commencés dans les écoles à entrevoir le génie de la France, tout douceur et générosité ; les acquisitions libérales de la Révolution et du XIXe siècle éveillaient parmi eux des enthousiasmes de néophytes ; aussi leurs souffrances s'accrurent-elles de l'amertume, de la déception, devant l'écroulement de leur idéal naissant. Nier la civilisation, lui refuser, au moins, tout élément moral, ou nier la vitalité de la race juive et maudire cette religion, ce nom juif, cause de tous leurs maux ; voilà l'alternative où ils se virent brutalement acculés. Depuis plusieurs années, du reste, tout avait été préparé comme à dessein pour exaspérer ce désarroi. L'instruction religieuse avait été abandonnée, l'éducation n'avait été protégée contre aucun des dangers propres au nouveau milieu qui se formait ; on s'en était remis pour faire évoluer les Juifs à des méthodes, à des institutions excellentes pour des Européens, sans prise sur des races longtemps arriérées ; la foi s'en était allée sous les coups du snobisme, laissant derrière elle un squelette de superstitions et de pratiques machinales ; l'esprit de solidarité point mort, mais se manifestant par jets intermittents, comme une flamme qui s'éteint, était devenu incapable de féconder aucune organisation solide et durable. Aussi, au jour du malheur, se réveilla-t-on sans étai d'aucun sorte, sans point d'appui possible entre la vieille société en ruines et la société française subitement refermée. Un effort vigoureux devenait nécessaire et tout espoir de succès était perdu si l'on n'agissait avec promptitude. Aux émancipés, aux énergiques qui malgré les démentis que la civilisation s'infligeait à elle-même sous leurs yeux, tenaient quand même pour l'idéal moderne, il fallait apporter des encouragements et demander de compléter leur être moral en renouant le lien avec le passé, à ceux que les violences et les crimes avaient confirmés ou rejetés dans les vieilles superstitions, il fallait expliquer qu'il n'y a pas de religion juive en dehors de la raison et de l'esprit de progrès ; aux désespérés qui lâchaient tout, se refusant aux espérances de la foi comme aux promesses de la science, il fallait crier que l'homme ne peut vivre s'il ne s'accroche à quelque chose d'éternel et d'immuable — à tous il fallait apporter l'espoir d'un relèvement économique par le travail manuel, de manière à soulager les charges des uns et les misères des autres, enfin — point essentiel, il fallait créer un rendez-vous de paix et de travail, un centre de solidarité où les divisions seraient ignorées, d'où l'union pourrait rayonner. — L'œuvre de l'Alliance fut créée. [...]

M. Nahon

(Archives de l'A.I.U., France, VII, F, 13)

Comme on l'a vu, en 1892-1893, l'Alliance ajouta au programme un cours d'histoire juive post-biblique, afin de fortifier chez les élèves le sentiment d'identité juive. Les maîtres devaient s'inspirer des travaux de Heinrich Graetz, Salomon Munk et Théodore Reinach. En 1897, le secrétariat leur recommande instamment de centrer leur enseignement autour des événements qui avaient directement affecté la vie des Juifs. Bien entendu, cet enseignement était censé servir d'illustration à l'idéologie de l'émancipation prônée par l'Alliance.

Nous désirons... que les maîtres consacrent à l'histoire juive tous leurs soins et tout leur zèle. Jamais peut-être les Juifs n'ont eu plus besoin de connaître leur passé, le long et douloureux martyrologe de leurs ancêtres, enfin, après d'immenses difficultés et des retours de violence souvent sanglants, l'établissement des Juifs dans leurs divers pays d'adoption. Combien cette histoire est instructive, fortifiante, saine et attachante, vous le savez, et vous savez aussi quelle ardeur les enfants y apportent. Si elle montre que, toujours, on a nourri les mêmes préjugés, entretenu les mêmes préventions et poussé aux mêmes excès contre les Juifs, on y voit aussi qu'à la fin, la raison humaine, l'idée de tolérance et d'amour l'emporte sur la haine et sur la superstition, mais que partout et toujours, les Juifs doivent s'efforcer, tout en restant fidèles aux souvenirs de leur glorieux passé et attachés à leur foi, de surpasser leurs concitoyens en loyauté, en courage, en honnêteté et en patriotisme. C'est là la morale de l'histoire juive, telle que vous devez l'enseigner à vos élèves, telle qu'elle doit ressortir de vos leçons[73].

Malgré cette préoccupation maintes fois formulée par l'Alliance, l'attitude des enseignants vis-à-vis des matières juives demeura toujours profondément ambiguë. S'efforçant de jeter un pont entre l'Occident et l'Orient, entre le monde de la raison et celui de la tradition, de la civilisation moderne laïque et du judaïsme, le maître se révélait finalement incapable de comprendre de l'intérieur la culture qu'il avait abandonnée. En dernière instance, son discours était celui d'un étranger, d'un Occidental.

Parfois, l'action de l'Alliance rencontrait des résistances au sein même de la population juive :

L'OPPOSITION RELIGIEUSE À UNE ÉCOLE DE L'ALLIANCE EN PALESTINE : SAFED, 1898

Safed, le 22 décembre 1898

[...]

Depuis dix ans Safed possédait déjà une école de garçons grâce à la munificence d'un riche philanthrope. Après avoir longtemps excommunié cette institution, le rabbinat avait fini par la tolérer car il savait à quelle porte frapper aux jours de détresse.

L'Alliance israélite aussi tenta il y a dix-huit à vingt ans de fonder une école ici, comme en témoigne une lettre adressée à cet effet par le Comité central aux notables de Safed. Cette pièce était montrée jadis aux étrangers avec orgueil comme un témoignage des avances que l'Alliance a faites à cette communauté et auxquelles les conservateurs safédiens eurent le courage de répondre par un refus. Par contre, aujourd'hui, quand un étranger arrive par hasard à Safed, son hôte est fier de lui faire visiter notre école comme on ferait ailleurs d'un musée ou de quelque autre curiosité. Que les temps sont changés et que nous voilà loin des mauvais jours du début !

Quand je tentai de fonder notre école, on fut unanime ici à considérer l'Alliance comme une intruse et à lui refuser droit de cité. Les rabbins ashkénazim n'attendirent pas mon arrivée pour résoudre la question. Dès qu'on leur eût annoncé la prise de possession de l'école par l'Alliance, ils préparèrent en bonne et due forme une excommunication *(hérem)* défendant à tout père de famille d'envoyer ses enfants dans le local de l'Alliance sous peine d'être privé de la *halouka*[74]. Cette pièce fut gardée dans les archives du rabbinat jusqu'au jour où comme une foudre elle devait être lancée sur la foule.

Le mobile de tout cela était une question d'intérêt et non de religion : car les administrateurs de chacune de ces colonies (russe, roumaine, hongroise, etc.) profitent de toutes les occasions pour frustrer quelques-uns de leurs compatriotes de la *halouka* afin de se faire la part plus belle.

Les rabbins séphardim aussi ont agi par intérêt, mais d'une manière plus franche. Dès le premier jour de mon arrivée, les chefs de ce rabbinat me rendirent visite et me prévinrent d'un air entendu et d'un ton qui ne supportait pas de réplique que je ne devais rien faire sans leur autorisation...

... Ashkénazim et Séphardim si divisés en tout, s'unirent dans une même explosion de fanatisme. Et le même jour, le même samedi, à la même heure, à l'office du matin, notre école fut excommuniée dans les 37 synagogues de notre ville.

Après cela on crut avoir écrasé l'Alliance, l'école et votre serviteur. De 150 élèves il ne nous en resta plus que 40. Il n'y avait qu'une chose à faire ; il s'agissait de ne pas se décourager, de persévérer, de durer : et nous avons duré. Et notre école a fini par s'imposer au rabbinat comme un de ces voisins, pas trop agréables précisément mais qu'on finit par tolérer, de guerre lasse.

[...]

M. FRANCO

(Archives de l'A.I.U., France, XI, F, 20)

LA POPULATION DE FEZ RÉFRACTAIRE À L'ŒUVRE DE L'ALLIANCE, 1903

Fez, le 1er septembre 1903

[...]

... On nous estime parce qu'on sait qu'au-dessus de nous il y a l'Alliance qui pour eux est une société de bienfaisance et rien de plus. Mais s'occuper avec nous de l'École, nous aider à surmonter les mille difficultés que nous rencontrons tous les jours ici, contribuer avec nous à développer l'œuvre de l'Alliance, témoigner d'un peu d'enthousiasme pour ces établissements scolaires dont ils sont les premiers à profiter et qui les mettrait au même niveau intellectuel que les communautés des villes de la côte et de Turquie, cela jamais ils ne daigneraient le faire...

Pour ces braves gens les écoles sont un article de luxe inutile. Seuls les pauvres, et pas tous, et certaines familles qui ont voyagé ou qui ont quelque protection européenne nous envoient leurs enfants. Les autres, qui constituent la très grande majorité des Juifs, s'obstinent à faire apprendre à leurs enfants le Talmud et la Tora dans de petits Talmud-Tora infects.

Combien de fois j'ai entendu avec stupéfaction ceux qui passent pour très intelligents, dire que les écoles sont tout à fait inutiles à Fez, que ce qu'on devrait enseigner aux enfants avant tout et surtout, c'était l'hébreu et rien de plus, qu'ils n'auront jamais besoin de savoir une langue européenne. Plusieurs de nos coreligionnaires considèrent encore nos écoles comme des lieux profanes et impies.

J'ai eu une preuve éclatante de cette façon de penser de nos coreligionnaires de Fez et de leur fanatisme irréductible lors du grand *maamad*[75] que nous avons tenu à propos du projet de création d'une grande école ou d'un grand Talmud-Tora, *maamad* où assistait tout ce qui a un nom à Fez. Après leur avoir lu la lettre de l'Alliance et développé amplement l'utilité pour la Communauté de Fez de la fondation d'une telle école au lieu de ces mille petits bouges infects où l'on enseigne si mal l'hébreu, tous, à l'unanimité, m'ont répondu qu'ils ne voulaient pas d'une telle institution. Et comme je sais qu'ils n'aiment pas l'ingérence d'un étranger dans leurs affaires, je leur ai dit que le nouveau Talmud Tora serait administré entièrement par eux, que nous n'interviendrions que pour diriger les professeurs et les éclairer de notre expérience. Ils m'ont répondu qu'ils considèrent comme un péché des plus grands d'avoir une agglomération de 1 000 enfants juifs. Et puis, pour le mauvais œil, il vaut mieux, me disaient-ils, qu'il y ait de petits Talmud-Tora de 50 à 100 enfants, modestes et pauvres d'apparence où le mauvais œil n'a aucun effet qu'un grand Talmud-Tora de 1 000 enfants qui attirerait forcément les pires malheurs sur la Communauté israélite ! L'hygiène, la bonne éducation pour ces braves gens ne comptent pas, le mauvais œil les effraye...

Cette obstination de nos coreligionnaires à ne pas envoyer les enfants à l'école tient à plusieurs causes. Fez est une ville où il n'y a que des Musulmans et des Israélites tous également fanatiques, tous également animés de sentiments hostiles à l'égard de l'étranger, et ennemis de toute innovation. La sainteté du lieu et le fanatisme farouche de ses habitants a tenu jusqu'ici éloignés tous les Européens, seul élément de progrès. D'autre part, la difficulté des communications, l'insécurité des routes n'a pas permis à nos coreligionnaires de voyager souvent, de voir du pays et d'apprécier ainsi les bienfaits de l'instruction. Ajoutez à cela les persécutions auxquelles ils ont été en butte de tout temps et vous comprendrez pourquoi les mœurs de nos coreligionnaires de Fez ont changé si peu jusqu'à présent et pourquoi le fanatisme y est encore vivace. Et elles n'ont pas l'air de changer de si tôt ces mœurs qui se transmettent si fidèlement de génération en génération et auxquelles nos coreligionnaires se complaisent tant.

[...]

J. Valadji

(Archives de l'A.I.U., France, XIV, F, 25)

Le texte suivant brosse un tableau de ce que pouvait être l'enseignement traditionnel :

LES ÉCOLES JUIVES TRADITIONNELLES À CONSTANTINOPLE, 1906

Constantinople, lettre reçue le 27 avril 1906

[...]

Un particulier quelconque en peine d'un gagne-pain et connaissant suffisamment ses prières réunit dans la chambrette qui lui sert de demeure 20, 30, 40 enfants, à qui il enseigne les premiers éléments de la lecture hébraïque, et voilà un petit *Talmud Tora* constitué...

Les enfants passent une ou deux années à apprendre l'alphabet hébreu, autant pour s'initier aux mystères des points voyelles ; il ne faut pas moins de temps pour arriver à savoir chantonner les versets bibliques... Dans quelques-unes de ces écoles, on enseigne aussi la traduction machinale et mot pour mot en un judéo-espagnol archaïque et immuable, souvent aussi peu compris par le maître que par l'élève. La traduction se chante suivant le même récitatif que le texte hébreu.

Dans les grands *Talmud Tora* les maîtres sont plus versés dans la langue hébraïque, mais les méthodes d'enseignement sont les mêmes et n'ont pas varié depuis des siècles...

Le texte et sa traduction sont faits pour être chantonnés, pour être nasillés, non pour être compris. Rien de plus bizarre et de plus risible que d'entendre ainsi réciter les véhémentes prophéties d'un Isaïe ou d'un Ezéchiel, la délicieuse idylle de Ruth, ou les pages brûlantes des Cantiques...

J'ai visité trois des grands *Talmud Tora* de Haskeuy[76]...

Quand on pénètre dans un de ces lieux, le cœur se serre et l'on est pris de pitié et de dégoût.

Dans une petite pièce de 8 à 10 mètres carrés, sont assis par terre sur le plancher sale et gras, 30 à 40 petits enfants malpropres. Armé de son bâton, le *haham*[77] se tient accroupi dans son coin, sur un grabat crasseux et détestable. Tous les enfants crient à qui mieux mieux leurs versets d'un ton aigu, accompagnés par intervalles de la voix grosse et nasillarde du maître.

Chaque établissement comprend 4 ou 5 de ces pièces.

Le jour de ma visite il faisait très beau temps et le soleil brillait de tout son éclat ; une vraie journée de printemps. Néanmoins portes et fenêtres étaient hermétiquement closes. Pensez donc à quel point l'air devait être mal empesté dans ces intérieurs où les enfants passent toute la journée depuis le matin de très bonne heure jusqu'après le coucher du soleil. Je suis sûre que les fenêtres ne s'ouvrent jamais depuis la fin de l'été jusqu'au commencement de l'été suivant. Je ne pus rester que quelques minutes dans cette atmosphère lourde rendue plus fétide par les exhalaisons venant des cabinets mal entretenus... Heureux, trois fois heureux les petits vagabonds que je vois musarder par les ruelles du quartier ou courir dans les champs d'alentour et dont les parents n'ont pas eu les quelques sous nécessaires pour les placer dans ces misérables écoles. [...]

M. Fresco

(Archives de l'A.I.U, Turquie, LIV. E)

LE DEVENIR DU JUDAÏSME TRADITIONNEL EN ALGÉRIE : CONSTANTINE, 1907

Constantine, le 27 janvier 1907

[...]

Les familles aisées continuent à confier leurs enfants aux rabbins particuliers détenteurs de cours religieux privés. Incapables d'apprécier les bienfaits d'un enseignement méthodique et rationnel et d'une installation saine et conforme aux règles de l'hygiène, elles voient dans la seule routine la garantie de la conservation d'une foi faite de routine et de formalisme.

Rien de plus triste que de voir comment une religion d'idéalisme et d'esprit vivifiant s'est ici transformée et comme figée en un bloc inerte de gestes et de manifestations extérieures ne répondant à aucun besoin de l'âme, ne résolvant plus aucun problème que la conscience pose à chaque étape de la vie. Telle a été l'œuvre des soi-disant rabbins du nord de l'Afrique, en exceptant ceux de quelques communautés de langue espagnole du Maroc. A Constantine, rien de ce qui constitue l'essence même du judaïsme ne subsiste plus : je veux dire, cette libre discussion et cette libre compréhension des choses réputées les plus intangibles et qui constituent sa supériorité sur les autres croyances dogmatiques et autoritaires, devant lesquelles l'esprit et la raison doivent abdiquer.

Des rites, des mots, des gestes, des usages, des habitudes, voilà en quoi se résume toute la religion de nos frères de Constantine...

Notre école contient cinq classes, où l'enseignement est réparti graduellement : La petite classe est celle des débutants. En la quittant, les petits enfants savent lire convenablement, et réciter les prières usuelles. Ils se fortifient dans la suivante qui est la quatrième classe. En troisième, ils apprennent la lecture de la Bible avec ses accents ; ils y apprennent les notions de langage et d'histoire sainte. Ce n'est qu'en arrivant à la 2e classe qu'ils commencent à traduire en judéo-arabe. Là, ils y puisent des élements de la grammaire : déclinaisons des mots et enfin des principes d'histoire sainte s'arrêtant à Josué. En première classe, le programme est le suivant : lecture et traduction de la Bible en judéo-arabe et en français, aussi bien que des prières ; langue hébraïque proprement dite ; instruction morale et religieuse ; toute l'histoire sainte et notions succinctes d'histoire juive. Une heure est consacrée au Raschi, pendant les vacances, ainsi qu'au Talmud. C'est la part faite aux exigences de la population.
[...]

A.H. Navon

(Archives de l'A.I.U., France, VII, F, 13)

LA DÉJUDAÏSATION DES JUIFS DE TUNISIE ET LES MESURES QUI S'IMPOSENT POUR LA COMBATTRE: SOUSSE, 1929

Sousse, le 7 octobre 1929

[...]

En résumé, c'est la désertion des synagogues, l'ignorance quasi-totale de la religion, du passé d'Israël, l'inobservance des pratiques, la décadence profonde des études sacrées, la diminution constante du nombre des docteurs de la Loi, les sacrificateurs et autres fonctionnaires du culte.

Ces constatations peuvent-elles nous laisser indifférents et se fait-on une idée de l'abîme où sombreront nos communautés d'ici vingt ou trente ans si une force supérieure ne devait intervenir énergiquement pour réagir contre de pareils errements?

Dèjà les mariages mixtes se répandent; un cas de conversion au protestantisme de toute une famille vivant encore à Sousse a été enregistré (je ne parle pas de ceux qui se sont produits ailleurs, notamment à Tunis, à Bizerte et tout récemment à Sfax); n'y a-t-il pas à craindre que ce détachement de nos frères des vieilles coutumes et ces apostasies n'aillent en s'accentuant et en se multipliant, et n'ébranlent un jour l'édifice millénaire construit par les respectables ancêtres de ces Israélites égarés?...

Ce qu'il faut avant tout et sans délai à ces communautés qui s'étiolent, ce sont des écoles de l'Alliance (pour garçons, filles et jeunes enfants, comme nous l'avons vu plus haut) où l'on donnerait dans des locaux tout à fait appropriés en même temps qu'une instruction générale que ne le céderait en rien à celle que les petits Israélites reçoivent actuellement dans les écoles publiques, un enseignement moral et religieux qui leur fait presque entièrement défaut.

Il faudrait prendre résolument l'initiative de la réorganisation de ces communautés et charger leurs Comités de bienfaisance, qui ne s'occupent que de questions d'administration, de la haute direction des centres d'enseignement hébraïque.

Il faudrait créer des *yechivot*[78], encourager les études théologiques, et à cet effet rouvrir le séminaire qui a fonctionné à Tunis et qui, bien organisé, bien dirigé, comblera une grave lacune.

Il faudrait enfin recréer un corps rabbinique dont les membres pourvus d'une culture moderne suffisante seraient sérieusement versés dans l'étude de la Loi et pourraient devenir des pasteurs écoutés et respectés.

Programme vaste et complexe, mais aussi de haute portée morale, qui ne doit pas nous effrayer par son étendue et sa diversité, et dont dépend à coup sûr le maintien même du judaïsme tunisien qui donne hélas! tant de signes de dépérissement.

L'Alliance dont l'activité inlassable, l'action continue, les efforts prodigieux, ont exercé les plus heureux effets sur l'évolution intellectuelle et morale des nombreuses générations qu'elle a éduquées et sur le développement économique des principales communautés de ce pays, se doit de prêter son concours pour l'accomplissement de cette œuvre salutaire.

Elle seule jouit du prestige nécessaire pour imposer ses vues aux communautés désorganisées et souvent déchirées par des luttes intestines.

[...]

L. LOUBATON

(Archives de l'A.I.U., France, VII, F, 14)

V

La guerre des langues

En dépit des efforts de l'Alliance pour donner au judaïsme la place qui lui revenait dans ses écoles, l'enseignement de l'hébreu resta toujours problématique. Afin de désarmer l'opposition des autorités religieuses locales, elle avait confié les cours d'hébreu et de religion aux rabbins. Bien que possédant une bonne maîtrise de l'hébreu grâce à leurs études à Paris, les instituteurs de l'Alliance n'avaient pas été formés pour enseigner cette langue et étaient trop accaparés par l'enseignement des autres matières pour y consacrer beaucoup de temps. De leur côté, les professeurs d'hébreu recrutés sur place ne s'étaient pas frottés aux méthodes pédagogiques modernes avec lesquelles les professeurs de français et des autres matières s'étaient familiarisés durant leur séjour à l'E.N.I.O. Conséquence de cette situation, l'hébreu ne semble pas avoir été la matière favorite des élèves. Il souffrait manifestement d'un handicap vis-à-vis du français, enseigné selon les méthodes les plus récentes. La coexistence de deux pédagogies opposées à l'intérieur d'un même établissement, l'une bénéficiant de toute l'attention et l'autre reléguée à une place secondaire, s'avéra préjudiciable à l'enseignement de l'hébreu qui se voyait éclipsé par celui du français.

A partir du début du siècle, l'Alliance fut l'objet d'attaques de plus en plus vives de la part des sionistes, qui lui reprochaient de négliger cet aspect de l'enseignement. Plusieurs missions d'inspection vinrent confirmer le fait que le remplacement des rabbins par des professeurs d'hébreu pourrait grandement améliorer la qualité de cet enseignement[79]. Toutefois, la société craignait que ces enseignants, influencés par le mouvement de renaissance que connaissait cette antique langue, ne se fassent les propagandistes du sionisme. Ce n'est qu'en 1952 que fut créée au Maroc une école normale pour les professeurs d'hébreu[80]. Bien plus, les autres langues juives, telles que le yiddich, le judéo-espagnol, le judéo-arabe et le judéo-persan, étaient régulièrement attaquées par l'Alliance qui, partageant le point de vue des secteurs « éclairés » du judaïsme européen, les considérait comme de simples « jargons », comme des composés hybrides et corrompus de plusieurs langues entravant l'épanouissement intellectuel des Juifs et devant par conséquent être extirpés.

En fait, il est possible de dégager une hiérarchie fonctionnelle de l'enseignement des langues tel qu'il était dispensé par les écoles de l'Alliance. L'hébreu devait servir à comprendre la Bible et les livres de prières. Doté d'une finalité essentiellement religieuse, il n'avait pas à être appris comme une langue vivante destinée à être utilisée en dehors du domaine de la foi. Les langues locales, telles que le turc ou le persan, étaient enseignées afin de faciliter l'éventuelle intégration des Juifs dans leurs pays de résidence, de préparer le terrain à leur totale émancipation et d'accroître leurs perspectives de carrière au sein de l'administration publique. Toutefois, comme pour l'hébreu, l'Alliance avait du mal à trouver des professeurs qualifiés et n'était pas vraiment disposée à leur accorder suffisamment d'heures dans le programme pour que l'effort en vaille la peine.

La première des priorités pour l'Alliance et pour ses représentants était naturellement l'enseignement du français. Le français n'était pas seulement une *lingua franca* importante dont la connaissance constituait un atout considérable dans le monde du commerce et des échanges ; il avait en plus une fonction morale. C'était la langue de la civilisation par excellence, le canal privilégié grâce auquel les maîtres pouvaient amener les élèves à apprécier la grandeur de la culture et de la civilisation occidentales. Toute l'œuvre de « régénération » reposait sur cet enseignement qui permettait d'inculquer les plus hautes valeurs d'une culture supérieure. Rien ne devait affaiblir la centralité dont il jouissait dans les écoles de l'Alliance.

LE FRANÇAIS DOIT REMPLACER LE « JARGON » LOCAL : CASABLANCA, 1898

Casablanca, le 18 octobre 1898

[...]

Il ne faut pas perdre de vue que rien n'est plus malaisé que l'étude de la langue française pour les petits enfants parlant l'arabe vulgaire ; le génie de leur parler maternel est si éloigné du génie européen, les sons, les tournures, les idées, tout jure de se trouver côte à côte ; au moins si le jargon répandu ici relevait plus franchement de l'arabe ! C'est un ramassis d'expressions arabes, hébraïques, chaldéennes, espagnoles, berbères même, constituées sans logique, réunies en un très petit nombre de moules d'une étroitesse extrême où il est impossible de couler la moindre idée ; aucune marge n'est laissée à l'effort libre de la pensée ; rien qu'un bagage très pauvre de clichés que l'on applique tant bien que mal aux diverses circonstances de la vie. Il faut tout créer, idées, mots, constructions. Il y a à lutter continuellement contre les malheureuses déformations de l'oreille. Pour nos enfants indigènes *ché, zé, ssé,* s'équivalent ; l'é, l'i, l'a se remplacent sans inconvénient. S'adresser à l'oreille devient inutile, nous avons recours aux yeux ; nous sommes forcés de gesticuler, de dessiner fortement les mouvements de la bouche, quelquefois aider l'élève de la main pour l'amener à nous contrefaire. C'est un travail d'une désespérante aridité et qui absorbe un temps précieux. Les sons une fois à peu près perçus et reproduits, il s'agit d'aborder les tournures et ici notre point de départ est le français lui-même ; il faut absolument faire table rase du jargon, défendre les traductions et insister sur la forme française en la rapportant directement à l'objet, au geste, à l'action à exprimer. Les méthodes de lecture et de langue françaises de M. Fresco[81] nous rendent pour ce travail des services précieux.

Nos élèves, d'origine tangérienne ou tétouanaise, dépassent facilement leurs camarades dans toutes les matières, leur oreille, leurs organes d'articulation étant beaucoup plus souples et leur vocabulaire plus ressemblant au français et plus riche[82].

[...]

M. NAHON

(Archives de l'A.I.U., France, XIV, F, 25)

LA LANGUE CORROMPUE DES JUIFS DE TANGER, 1903

Tanger, le 3 décembre 1903

[...]

Langue. — La langue que l'on parle dans la localité est la langue espagnole corrompue. C'est un véritable amalgame où l'espagnol surtout prédomine ; mais à cette langue judéo-espagnole on a ajouté encore des mots arabes espagnolisés ; des verbes et des expressions arabes et hébraïques en complètent la bizarre mixture. Cette langue est bien plus corrompue encore chez les immigrants de l'Intérieur qui se sont déjà un peu assimilés à leurs coreligionnaires indigènes. L'accent chez eux est déplorable et certaines lettres reçoivent une autre prononciation. On pourrait affirmer sur une grande base de probabilité que la langue judéo-hispano-arabe est parlée par plus des deux tiers de la totalité de la communauté. Ceux qui connaissent la langue passablement pure l'emploient naturellement dans leurs conversations, quitte à employer l'autre langue avec des gens qui ne les comprendraient pas s'ils parlaient d'une façon pure.

Y. COHEN

(Archives de l'A.I.U., Tunisie, I, D, 1)

L'ENSEIGNEMENT DE L'HÉBREU A L'ÉCOLE
DE L'ALLIANCE A SAFED EN 1898

Safed, le 22 décembre 1898

[...]

Au début de cette année, je veux dire depuis la rentrée des classes, rompant avec une ancienne routine, nous avons groupé dans les mêmes classes pour l'hébreu comme pour le reste d'après leur force respective les élèves askénazim et séfaradim. C'est un des derniers actes de courage d'aucuns disent d'audace, que cette fusion. Pour pouvoir introduire cette utile réforme, il nous a fallu faire venir de loin un professeur askénazi connaissant bien l'hébreu et prononçant à la manière séfaradite. Notez, s'il vous plaît, qu'une même per-

sonne doit réunir ces trois qualités à la fois afin de donner satisfaction au parti séfaradi, au parti askénazi et à l'intérêt de l'école.
Aujourd'hui nos enfants écrivent sans difficulté l'écriture cursive
askénazite et séfaradite et surtout parlent couramment l'hébreu.
Ceci étonne extrêmement les rabbins de divers *Talmud-Tora* de la
ville, qui ne comprennent pas quel rapport il peut y avoir entre l'art
d'expliquer machinalement et en ânonnant un texte hébreu et le
riche vocabulaire que suppose la facilité de s'exprimer couramment
dans cette langue. Inutile d'ajouter que grâce à notre bonne méthode, l'hébreu est enseigné chez nous mieux que dans n'importe
quel *héder*[83].

[...]

M. Franco

(Archives de l'A.I.U., France, XI, F, 20)

LA PERSISTANCE DU JUDÉO-ESPAGNOL : CONSTANTINOPLE, 1908

Rapport annuel, 1907-1908

[...]

... le judéo-espagnol est la langue du peuple par excellence et il le
sera encore pour longtemps quoiqu'on fasse. Tout le monde est
d'accord qu'il ne faut plus de judéo-espagnol, qu'il n'y a pas lieu de
conserver la langue de nos anciens persécuteurs... et cependant petit
peuple, bourgeoisie et même ce qu'on appelle ici « l'aristocratie »
tout le monde continue et continuera à parler et à lire le judéo-
espagnol. Dans les séances des comités les plus instruits et dont les
membres connaissent tous le français, tout d'un coup, sans qu'on
sache ni pourquoi ni comment la discussion qui avait lieu en français,
en un français très correct et même élégant, se change en parlote
judéo-espagnole et les belles dames juives les plus « select », quand
elles sont en visite, interrompent leur papotage en français pour
jargonner à qui mieux mieux. Le turc est un habit d'emprunt, le
français un habit de gala, le judéo-espagnol la vieille robe de
chambre commode où l'on se sent le plus à son aise.

[...]

M. Fresco

(Archives de l'A.I.U., France, XVII, F, 28)

LA MULTIPLICITÉ DES LANGUES DANS UNE ÉCOLE
DE L'ALLIANCE: CONSTANTINOPLE, 1913

Galata, lettre reçue le 28 juillet 1913

[...]

L'enseignement comprend le français, comme base des études, le turc, l'hébreu et l'allemand. Cette multiplicité des langues, dont le besoin se fait vivement sentir en Orient, si on veut donner à l'enfant, dès l'école, une certaine préparation en vue de son avenir, nuit, affirment les pédagogues, au développement normal de ses facultés mentales, en même temps qu'il exerce, ajoutent les hygiénistes, une répercussion des plus fâcheuses sur ses facultés physiques en surmenant un être débile dont les organes en formation sont arrêtés dans leur accroissement régulier.

Je ne disconviens pas sur ces deux points, et des faits pourraient être cités à l'appui de cette thèse... D'aucuns vont même jusqu'à prétendre que s'il se rencontre en Orient, parmi nos coreligionnaires, si peu d'hommes réellement distingués et brillants, cela tient à ce point que, ayant pendant près de quatre cents ans, laissé engourdies nos facultés mentales par le manque de toute culture intellectuelle sérieuse, inconnue dans nos *judérias*[84] depuis notre expulsion d'Espagne, nous fatiguons les cerveaux de nos jeunes enfants peu accoutumés à une gymnastique de l'esprit aussi intense, après un repos absolu de plusieurs siècles, et que, par suite le développement intellectuel n'étant nullement graduel, nous produisons des jeunes gens parlant et écrivant plusieurs langues, mais ne possédant ni la maturité d'esprit, ni la logique, ni la hauteur de conception requises pour mener à bout une entreprise d'une certaine envergure et donner des preuves d'une véritable vitalité intellectuelle à même de créer des hommes de lettres et de science...

...[M]ais malheureusement nous ne pouvons pas ne pas tenir compte de deux facteurs qui ont leur importance, à savoir que nous sommes des Juifs ottomans, que nous devons satisfaire les parents en enseignant l'hébreu, comme religion et comme langue, et que nous avons à remplir notre devoir de citoyens, en faisant apprendre à nos garçons, le plus tôt que nous le pouvons, la langue officielle du pays où nous vivons, d'autant plus que nos élèves auront plus tard à accomplir une période militaire[85] et que la connaissance du turc leur devient absolument indispensable.

Le français reste naturellement la base de notre enseignement, c'est par la culture française éminemment propice à la diffusion des idées libérales que nous relèverons nos jeunes enfants, déprimés par plusieurs siècles d'oppression et d'abrutissement moral. C'est à un double point de vue la langue par excellence de l'instruction et de l'éducation, en même temps qu'un puissant moyen qui permet à nos enfants de tirer un profit immédiat et très rémunérateur des connaissances acquises sur nos bancs...

[...]

A. BENVENISTE

(Archives de l'A.I.U., France, XVII, F, 28)

VI

Portrait des communautés

La description des communautés juives, assortie de réflexions sur leurs mœurs, leurs coutumes et leurs traditions folkloriques, constitue un genre distinct à l'intérieur de la correspondance échangée entre les enseignants de l'Alliance et le comité central. Ces descriptions formaient l'essentiel des rapports annuels et semi-annuels qui parvenaient au siège de l'organisation. Bien que fortement marquées par les présupposés idéologiques de leurs auteurs, elles renferment une foule d'informations et brossent un remarquable tableau de la diaspora sépharade à la fin du XIXe et au début du XXe siècles.

LA COMMUNAUTÉ JUIVE DE SMYRNE EN 1873

RAPPORT SUR LES ÉCOLES ET INSTITUTIONS DE LA COMMUNAUTÉ ISRAÉLITE DE SMYRNE

POPULATION. — La communauté israélite de Smyrne se compose d'environ 3 500 familles, comptant près de 20 000 âmes.

ÉTAT FINANCIER. — Il y a une centaine de famille considérées comme riches et possédant une fortune évaluée de 8 à 12 000 livres turques (181 000 à 276 000 F) ; elles forment la classe élevée, et constituent une sorte d'aristocratie. Leurs chefs exercent tous le commerce. La classe moyenne, qui compte 1 500 à 2 000 familles, se compose de courtiers, de marchands, d'ouvriers, de portefaix, enfin de gens vivant plus ou moins aisément du produit de leur travail. Il y a, en outre, environ 500 familles dont les chefs portent le titre de rabbins. Un millier de familles enfin sont dénuées de tout moyen d'existence, vivent de la charité publique et font du quartier juif l'un des plus tristes et des plus désagréables de Smyrne.

Vie matérielle. — Les Israélites de Smyrne, à l'exception d'un petit nombre, vivent à la turque, couchent par terre ; toute une famille mange dans la même assiette et boit dans le même gobelet. Au reste, les maisons sont assez propres, du moins la cour, qui, le plus souvent, tient lieu de salon. Par contre, les chambres sont très négligées et les habitants sont obligés, pendant l'été, de dormir sur les terrasses ou dans les cours, à cause de la vermine qui infeste les appartements. On change de linge une fois par semaine ; le soin de la chevelure est peu répandu chez les hommes.

Condition de la femme. — Elle est à peu près la même que chez les Turcs.

Éducation des enfants. — L'éducation des enfants est confiée à la mère ; le père ne rentre chez lui que le soir, lorsque les enfants dorment déjà. A l'âge de trois ans, on les envoie, garçons ou filles, chez une *maestra*. On appelle ainsi une femme qui réunit chez elle une trentaine d'enfants, les fait asseoir par terre dans une chambre ou dans la cour, et les laisse là du matin jusqu'au soir, quelquefois au soleil, tandis qu'elle vaque à ses affaires. On habitue, de bonne heure, les enfants à la sobriété : un morceau de pain avec un peu de fromage forme leur déjeuner, leur souper est à peu près pareil ; dans bien des ménages la viande n'apparaît que le samedi. A midi, du reste, on ne se met pas à table, les hommes ne viennent pas à la maison ; les femmes prennent quelque chose, comme on dit, *sur le pouce*.

Écoles. Filles. — Quand les enfants arrivent à l'âge de cinq à six ans, on les retire de chez la *maestra*, et les garçons sont placés aux *meldars* ou écoles hébraïques, dont la situation, au point de vue de l'enseignement, laisse fort à désirer à Smyrne, comme partout ailleurs en Turquie. Les filles sont retenues à la maison, où elles aident leur mère dans les travaux de ménage. Il n'est pas rare de voir les demoiselles des meilleures familles israélites balayant la cour ou lavant le plancher, aidant leur mère à faire la lessive ou à mettre le pain au four. Le samedi, on se croirait dans un autre monde : tout est en repos, tout le monde est bien habillé ; on ne voit que des hommes ou des femmes aux portes ou aux fenêtres, tous mangeant des graines de melon ou de pastèque.

Occupations des Garçons. — A douze ou quatorze ans, les

enfants quittent le *meldar*. Ceux dont les parents ont une affaire fixe vont avec eux, les aident et apprennent peu à peu le métier. Ceux, au contraire, dont le père est sans moyens d'existence assurés, restent livrés à eux-mêmes, courent les rues, cirent les souliers.

MARIAGE. — Entre dix-huit et vingt ans, on se marie. Une circonstance qui est, en grande partie, cause de la misère des Israélites de Smyrne, est qu'il naît, chez eux, plus de filles que de garçons. Il en résulte que tout jeune homme, bientôt obsédé par de belles promesses de dot, se fiance et se marie de bonne heure ; voilà une nouvelle famille vouée à la misère.

OCCUPATIONS DES HOMMES. — Ainsi qu'on l'a vu plus haut, les Israélites riches sont négociants ; la classe moyenne se compose de courtiers, d'ouvriers, d'employés, de portefaix, etc. En fait d'ouvriers, il n'y a guère que des tailleurs, des cordonniers, des ferblantiers ; les autres métiers, tels que ceux de menuisier, de maçon, de forgeron, de fondeur ou d'orfèvre, sont laissés entre les mains des Grecs et des catholiques. Les femmes ne travaillent pas, faute d'emploi le plus souvent, et sont ainsi réduites à vivre d'aumônes.

ÉDUCATION GÉNÉRALE. — Par ce qui précède, il est aisé de comprendre que l'éducation des Israélites de Smyrne laisse à désirer, et, pour la relever, les seules ressources de la charité ne sont pas suffisantes.

On a beaucoup fait jusqu'ici à Smyrne pour soulager la misère de ces masses compactes de pauvres ; malheureusement rien n'a été tenté pour améliorer leur position.

D. CAZÈS

(*Bulletin semestriel de l'Alliance israélite universelle*, 2e semestre 1873, pp. 141-147)

LE QUARTIER JUIF DE CONSTANTINOPLE AU DÉBUT DES ACTIVITÉS DE L'ALLIANCE, 1875

Constantinople, lettre reçue le 16 septembre 1875

[...]
Balat renferme environ 30 000 habitants dont 3 à 4 mille Israélites. En Turquie, on ne peut pas trouver précisément le nombre d'habitants d'une localité, les naissances n'étant pas constatées par l'autorité locale.

... Les professions principales des Israélites sont le commerce, le courtage, la commission, le change, la médecine sans diplôme, la pharmacie et les petits métiers. En général, les Israélites de l'Orient recherchent les professions lucratives que l'on peut exercer sans peine et sans capital. Plusieurs marchands ambulants et changeurs ont fait le commerce avec moins de 200 francs et sont devenus au bout de quelques années des banquiers ou de grands négociants ; mais la plupart, faute d'économie, ne vont pas loin, même font banqueroute sans grand scrupule. Pas un forgeron israélite, pas un charpentier, mais beaucoup de marchands de poisson, de vin, de fruits, de légumes, grand nombre de fripiers, de portefaix, des canotiers, de limonadiers, etc. ; tous gagnant peu de chose et vivant au jour le jour. On ne voit pas un Israélite employé dans les nombreux bateaux qui desservent les échelles de Constantinople. En voici la cause. D'abord parce que les Juifs refusent de travailler le samedi et ensuite parce qu'ils n'aiment pas commencer par un petit traitement et attendent d'en mériter un plus fort. Ces causes ajoutées à leur ignorance font que très peu d'Israélites ont quelque emploi à la Sublime Porte. Tous les métiers et les arts sont exercés par les chrétiens et quelques musulmans. On compte à Balat deux bons architectes sans étude, quelques menuisiers et quelques ferblantiers. Pour les mendiants, ils fourmillent ; on en trouve partout et souvent des hommes et des femmes jeunes et bien portants. C'est ainsi qu'à Constantinople, plus que partout ailleurs, les écoles de travail sont indispensables si l'on veut améliorer l'état des Israélites...

[...]

N. Béhar

(Archives de l'A.I.U, Turquie, XXV, E)

Les auteurs des rapports connaissent l'héritage culturel des communautés qu'ils dépeignent :

L'HÉRITAGE ESPAGNOL DES JUIFS DE TURQUIE : ANDRINOPLE, 1897

Andrinople, lettre reçue le 30 janvier 1897

Les Juifs d'Andrinople

La communauté juive d'Andrinople composée de 18 000 âmes

environ est digne à tous égards de l'intérêt que lui porte l'Alliance israélite. Un point vraiment curieux sur lequel tous les instituteurs ayant exercé ici sont d'accord, c'est que la dose moyenne de l'intelligence est ici de beaucoup supérieure à celle des autres groupes juifs d'Orient. A quoi cela tient-il? Je l'ignore, je me contente simplement de constater le fait. Cette ville a produit d'ailleurs la plupart des bons professeurs de l'Alliance, particulièrement le personnel chargé de l'enseignement agricole dans les établissement de cette société.

Dans un autre ordre d'idées, une chose remarquable à signaler, c'est la vitalité avec laquelle se sont conservés ici les souvenirs historiques du passé des Juifs.

On sait que cette ville possédait déjà sa communauté israélite du temps des empereurs byzantins. Les pierres tombales du cimetière juif local — antérieures à la conquête turque — témoignent amplement de ce que j'avance. L'histoire nous apprend d'ailleurs que le sultan Murad Ier trouva dans cette ville une communauté florissante en 1360 de J.-C. Il en reste comme vestiges une synagogue dite *K.K. de los Gregos* ou *Romania* et quelques noms de familles tels que Pappo ou Pappos, Mori (de la Morée), Sivricos, Canetti, etc.

Moins d'un siècle et demi après l'occupation ottomane, Andrinople servit de refuge aux exilés d'Espagne (1492 et 1495), de Portugal (1506), d'Italie (1534), etc.

Tandis que dans la plupart des villes d'Orient, des synagogues portent des noms hébreux, ici, les fidèles se sont groupés suivant leur ville ou leur province d'origine et en ont surnommé leurs temples. Voici à titre de curiosité les noms des principales synagogues: synagogue de Portugal, des Catalans, d'Aragon, d'Evora, de Tolède, de Major ou Majorque, de Sicilia, des Italiens, des Pouillais, de Budun (ou Bude, en Hongrie), etc.

Quelques noms de familles rappellent les villes d'Italie: Pisa, Torento, Mi-Trani (de Trana), Romano (de Rome).

D'autres noms ont été empruntés à l'Espagne: Rodrigue, Menda(s), Tolédo, Taragano, Espania, Zaméro (de Zamora), Ghiron (de Girone), Funès (village de la Navarre), Dueñas, Bello, Rica, Présénté, Pava, etc.

Certaines appellations indiquent indubitablement une origine française: Carcachon (de Carcassonne), Franka (petit nom de femme), Sarfati (mot hébreu signifiant Français).

Enfin, les côtes barbaresques fournissent à leur tour un contingent de noms à tournure arabe : Al-Saïd, Al-Cabès, Al-Fazza (de Fez), Saadi, Bordj(i), Bénaroya ou Ben ha-rou'ia (le fils du Rêve), etc.

Mais ce qui est plus étrange encore, ce sont les souvenirs de l'Inquisition espagnole qui se sont perpétués parmi cette population comme s'ils avaient voulu poursuivre les Juifs jusqu'ici et troubler leur quiétude par des cauchemars rétrospectifs. Voici un exemple typique de ce que j'ai observé :

Il y a quelque temps une pauvre femme m'a prié d'intercéder auprès de qui de droit pour qu'on accorde à son enfant — qui fréquente l'école des filles — un *zan-banetté*.

Je me flatte de connaître suffisamment le jargon judéo-espagnol qu'on parle en Turquie. Cependant ce mot mystérieux de *zan-banetté* m'était absolument inconnu. Pour cacher mon ignorance et m'éviter une humiliation, je promis à la bonne femme son *zan-banetté*. Ce mot me mit martel en tête et me poursuivit pendant plusieurs jours. J'avais renoncé déjà à saisir le sens de ce vocable bizarre, lorsque, en parlant à mes élèves de l'Inquisition, j'eus l'occasion de mentionner le *san-bénito*, cette grossière chemise de bure dont on affublait les victimes de l'Inquisition. *San-bénito !* A ce mot comme s'ils se fussent concertés d'avance ou comme s'ils avaient été poussés par un ressort, mes élèves lèvent tous à la fois la main comme pour me faire une observation. Je les laisse parler et j'apprends à mon grand ébahissement que le tablier porté par leurs jeunes frères et sœurs, le *zan-banetté* pouvait et devait être la corruption du *san-bénito*. Et c'était absolument vrai ! Et ma malheureuse solliciteuse m'avait bel et bien pris involontairement pour un Torquémada, ni plus ni moins, en me priant d'obtenir pour sa fille un *zan-banetté* !

[...]

M. F<small>RANCO</small>

(Archives de l'A.I.U., Turquie, VII, E)

Voici, vue de Salonique, l'affaire Dreyfus :

L'AFFAIRE DREYFUS ET SES RETENTISSEMENTS :
SALONIQUE, 1898

Constantinople, le 22 novembre 1898

[...]

Salonique, vous le savez, est une ville tout à fait juive. Les Juifs y forment environ les deux tiers de la population ; de quelque côté que l'on se dirige on est sûr de rencontrer des Israélites, car il n'est pas de quartier qui n'en renferme.

Ce n'est cependant pas seulement par le nombre que les Juifs l'emportent sur leurs voisins, les Turcs et les Grecs : ils ont encore sur eux cette supériorité d'avoir une souplesse d'esprit telle qu'ils peuvent facilement assimiler les autres à leurs propres idées. De plus ils ont de l'aptitude à toute chose et sont capables de déployer une grande activité dans leurs entreprises. Aussi n'est-il pas de métier, depuis le plus modeste jusqu'au plus riche, qu'ils ne soient à même d'exercer. Le commerce est, peut-on dire, en entier, entre leurs mains. Des professions plus nobles leur appartiennent aussi : les médecins et les avocats les plus renommés de la ville sont des Israélites.

Cette majorité et cette influence juive à Salonique se font surtout sentir le jour du sabbat. Tandis que pendant la semaine les rues où se fait le commerce sont des plus mouvementées, en ce jour tout au contraire il y règne le plus grand repos. Tous les magasins, toutes les boutiques sont fermés. Il est même des Turcs, dont les affaires se font surtout avec des Juifs, qui se résignent à chômer eux aussi le samedi.

Après ce que je viens de dire de l'influence juive à Salonique, vous pourrez facilement comprendre l'effervescence que l'affaire Dreyfus a dû produire surtout dans les esprits de la jeunesse israélite. J'ai connu bien des personnes qui plaçaient au-dessus de leurs soucis de famille cette affaire, dont nous attendrons tous avec angoisse le dénouement heureux. C'est quelque chose d'assez rare en Turquie de voir des hommes oublier leurs propres intérêts pour s'attacher davantage aux idées d'humanité, de vérité et de justice. Pour être plus vite au courant de « l'affaire », les Saloniciens avaient envoyé une certaine somme au journal *Le Siècle* et toutes les fois qu'un fait nouveau avait lieu *Le Siècle* le leur communiquait par télégramme. Quel bruit faisaient, parmi les Israélites, les dépêches envoyées par ce journal ! A peine étaient-elles arrivées qu'elles circulaient dans toute la ville. De tous les côtés on en entendait parler, car il n'y en avait pas un qui ne s'intéressât à « l'affaire ». « L'affaire » était le seul sujet de conversation des Saloniciens. Était-on chez soi ou au café, c'était toujours d'elle qu'on s'entretenait.

J'ai dit que c'est la jeunesse juive qui est la plus passionnée pour cette affaire. C'est qu'en effet il existe à Salonique une jeunesse israélite assez distinguée. Curieuse de savoir et de connaître, elle s'intéresse à tout : politique, littérature, rien ne lui est indifférent. Imprégnés pour la plus grande partie d'idées françaises, c'est-à-dire d'idées de liberté et de justice, qu'ils ont puisées dans l'histoire et dans la littérature de la France, les jeunes Israélites ont éprouvé un mouvement d'indignation contre ce pays, qui attentait lui-même, dans cette affaire, à ce qu'il avait enseigné aux autres nations, à ce qui le rendait si grand et si beau, aux idées de liberté et de justice. Cette France qui leur était si sympathique, qu'ils aimaient du fond de leur cœur, ils en ont été terriblement déçus. Cependant il y a bien des Saloniciens qui ne cessent encore de l'admirer, qui voient toujours en elle un noble et grand pays. N'y a-t-il pas eu en effet tant de personnes qui ont pu librement crier aux hommes aveuglés par la passion, l'innocence du martyr, ce qui n'aurait pu se faire nulle part. [...]

Mme L. Benveniste

(Archives de l'A.I.U., Turquie, I, C, 1)

Les cinq textes qui suivent se rapportent aux Juifs du Maroc et de Tunisie :

COSTUME ET COUTUMES DES JUIFS DE TANGER AU DÉBUT DU XXᵉ SIÈCLE

Tanger, le 3 décembre 1903

[...]

Population. — La population peut être classée de deux façons. Les Israélites de la Côte et ceux de l'Intérieur. En grand nombre les immigrants de la Côte s'habillent à l'européenne comme la presque totalité de leurs coreligionnaires tangériens. Le reste, surtout ceux de l'Intérieur, porte le pantalon couffant surmonté de la *bedhïa* ou gilet arabe, le tout recouvert par la traditionnelle *jokha* ou soutane en couleur. La *jokha* est ajustée autour de la taille par la ceinture rouge espagnole. Comme complément du costume, les babouches dont on écrase les quartiers, portées sans chaussettes. Quelquefois ces babouches sont teintes en noir pour plus de majesté. Le samedi ou les fêtes, c'est le *Yalak* que l'on a l'habitude de porter, espèce de soutane en drap, que l'on peut boutonner, ajustée encore au moyen d'une ceinture à couleurs éclatantes, souvent bleue. Sur la *jokha* ou sur le *yalak*, on endosse le *capote* (capotet), pardessus à capuchon ; on n'a pas l'habitude d'enfiler les manches. La coiffure, c'est toujours le *bonete*, calotte repliée et appliquée généralement sur le sinciput. Les quelques Israélites des dernières couches qui portaient le mouchoir moucheté ont presque complètement disparu ; mais par contre ceux qui font usage de la *djilaba*, vêtement ressemblant en partie par sa coupe au burnous, sont nombreux. — Les enfants, on les habille de l'une ou de l'autre façon selon qu'ils appartiennent à l'une ou à l'autre famille qui porte l'un des deux costumes.

La femme. — Le costume de la femme se divise en deux catégories : le costume européen ou le costume en partie européen. C'est surtout, et cela se comprend, l'élément moderne qui porte le costume européen ; l'autre costume qui tend à disparaître est porté par le reste de la population. Il n'y a que cette différence entre les deux costumes, c'est qu'au lieu de porter un chapeau on porte un foulard noué parfois sur les temps parfois sur le front. Quelquefois les babouches remplacent les souliers européens. De plus, pour sortir les femmes qui n'ont pas adopté le costume moderne portent une espèce de manteau en soie qui les recouvre de la tête à la ceinture. Les jeunes filles portent le costume qui est toujours le même chez les deux éléments ; si elle est moderne elle porte un chapeau, dans le cas contraire elle enroule un ruban autour de la natte de ses cheveux.

Superstitions. — Les superstitions existent à Tanger de même que dans toutes les villes. Mais la tendance à avoir de pareilles idées a manifestement diminué avec l'influence des écoles. Toutefois il faudra ajouter que chez toutes les classes de la population ces idées existent toujours. Le commerçant qui a construit une maison, malgré son train de vie européen et ou ses rapports avec l'élément étranger civilisé, ne s'abstiendra pas de mettre au frontispice de sa maison un fer à cheval ou parfois un marteau et un fer à cheval enlacés, quelquefois aussi un poisson. Mais il est utile d'ajouter que la

pratique tend à disparaître. Cependant chez l'élément inculte la
tendance à la superstition n'a rien perdu de sa profondeur. Les idées
ou les pratiques sont même minutieuses à ce sujet. Ce phénomène
n'est que la conséquence inévitable de la loi de similitude. Les
parties du même élément de la population étant en frottement
continuel et exclusif, les idées ou les pratiques doivent revêtir un
caractère de permanence et d'intensité absolument uniques. On a dit
que l'on pourrait remplir des volumes avec les matières fournies par
ce tour d'esprit et l'on n'a rien exagéré...

    ... Par exemple, si par manque d'attention vous avez versé un peu
de sel ou si vous avez oublié de fermer une paire de ciseaux, malheur
à vous des disputes vont se déchaîner. — Au contraire, si vous avez
jeté une allumette et que par suite d'un hasard quelconque l'allumette ne s'est pas éteinte, vous pouvez tirer un bon augure : vous
allez recevoir de l'argent. Mais ne vous hâtez pas, car si l'allumette
ne s'est pas consumée entièrement, votre argent peut s'évanouir et
vous ne demeurez alors que dans le doute. Si encore par suite d'un
hasard quelconque vos souliers sont tombés l'un sur l'autre lorsque
vous les avez enlevés, vous pouvez être content car vous allez
voyager. On voit donc que de pratiques ou que d'idées grossières le
temps n'a pas effacées, et encore nous n'avons cité que quelques-
unes parce qu'elles nous paraissaient caractéristiques.
[...]

Y. Cohen

(Archives de l'A.I.U., Tunisie, I, D, 1)

LES JUIFS DE CASABLANCA, 1909

[...]

    Le *mellah*. — Le *mellah* est situé au sud-ouest de Casablanca. La
densité de sa population est de beaucoup supérieure à celle des
autres parties de la ville. Amas informe de constructions hétéro-
gènes dressées au mépris de la plus élémentaire harmonie, dédale
inextricable des rues étroites, tortueuses, ravinées et marquées
d'ornières, vrai casse-cou pour les étrangers qui osent s'y aventurer,
surtout par les nuits sans lune, tel est le quartier israélite qui se
subdivise lui-même en deux parties bien distinctes : le *mellah* de
l'aristocratie juive qui, quoique sale aussi, compte au moins des

habitations, mal entretenues sans doute, mais spacieuses ; et la *Bhira* qui a l'aspect d'un simple douar aux confins de la ville avec ses huttes en bois où grouille une population dégénérée de petits fermiers besogneux, n'ayant pour toute fortune qu'une ou deux vaches laitières. Point d'étables ; les ruelles disparaissent toutes sous une couche épaisse de fumier en putréfaction. C'est là, dans ces miasmes mortels, dans cette atmosphère saturée d'odeurs nauséabondes que naissent, végètent et meurent des centaines de nos coreligionnaires.

L'obligation pour les Israélites d'habiter le *mellah* exclusivement n'existe plus depuis que M. le commandant Mangin[86] leur a permis de résider sur n'importe quel point de la ville. Quelques familles, les plus riches naturellement, ont largement usé de cette autorisation ; mais malgré cette émigration, le *mellah* reste toujours la résidence de la majeure partie de la population israélite.

Communauté israélite. — ... Le terme même de communauté est impropre, s'appliquant à l'ensemble des diverses agglomérations que forment les Juifs de cette ville. Ils se sont tous constitués en plusieurs groupements distincts, suivant la langue et le lieu d'origine. Les sentiments réciproques qui animent ces diverses fractions ne sont pas des plus cordiaux ; elles ne sont unies par aucun lien, elles ne se fréquentent même pas. Ces groupements sont les *Shylloks*, les *Roumis* et les *Forasteros*.

Les *Shylloks* sont les descendants des colonies juives émigrées au Maroc longtemps avant la destruction du second temple. Ils en sont les véritables autochtones. Ils habitent la campagne, les douars ; ils se sont constitués en tribus montagnardes ; leurs mœurs et leurs coutumes sont identiques à celles des Berbères nomades. Ceux qui s'établissent en ville habitent la plupart du temps la *bhira*.

Le *Forastero*[87] est le Juif indigène ; sa langue maternelle est l'arabe.

Les *Roumis*[88] sont des Israélites étrangers ; ils parlent en général l'espagnol. Il n'y a point de terme pour exprimer le mépris qu'implique le mot de forastero dans la bouche d'un Roumi. Entre ces deux dernières catégories pas de relations possibles ; elles se mésestiment plus entre elles qu'elles ne détestent les musulmans ou les chrétiens.

[...]

A. Saguès

(Archives de l'A.I.U., France, XIV, F, 25)

UN EXEMPLE CLASSIQUE DE MELLAH: FEZ, 1910

Fez, reçue le 28 novembre 1910

[...]

Le *mellah*. — Le *mellah*, situé au sud-ouest de Fez, fait partie du groupe appelé Fez el Djedid, le nouveau Fez. Il se trouve situé sur un plateau marécageux. Une haute ceinture de murailles crénelées l'entoure de toutes parts, l'isolant du quartier arabe et le protégeant du côté de la campagne contre les incursions des Kabyles avoisinants. Le *mellah* n'a qu'une seule issue vers l'extérieur, porte massive gardée par un piquet de soldats en armes, fermée après le coucher du soleil et cloîtrant ainsi les habitants du quartier. Le *mellah* se trouve situé au voisinage du *Dar el Makhzen* et sous la protection immédiate du souverain. Le Palais du Sultan, dont les forts dominent et tiennent en respect la population révolutionnaire et frondeuse de la *medina*[89], abrite sous son ombre, depuis près de trois siècles, l'agglomération craintive et soumise des Juifs de Fez. Ceux-ci sont directement gouvernés par un pacha, investi de pleins pouvoirs; il nomme à son tour le *Cheikh-el-yahoud*[90] qui représente la communauté auprès des pouvoirs publics. C'est à celui-ci que le pacha s'adresse lorsqu'il doit lever une corvée pour le *makhzen*, lorsqu'il a un ordre général à transmettre à toute la communauté, lorsqu'il veut se saisir d'un individu ayant été l'objet d'une plainte. Le *cheikh* a également pour attributions de maintenir l'ordre au *mellah*, de faire la police du quartier, de veiller aux bonnes mœurs des habitants. Aux jours des grandes fêtes musulmanes, à l'occasion des mariages du sultan, de la naissance des princes, une délégation juive, conduite et présentée par le *cheikh*, porte au sultan les félicitations de la communauté et les cadeaux d'usage.

L'aspect extérieur du *mellah* et de la foule sordide d'hommes et de femmes en haillons, d'enfants nus jusqu'à la ceinture qui grouille dans ses ruelles étroites et puantes, cause une impression de malaise aiguë. L'étranger qui, venant pour la première fois à Fez, entre dans ce quartier, objet de mépris et de dégoût pour le musulman riche, pour le bourgeois de Fez qui n'y met jamais les pieds, se sent envahir par un mélange de tristesse et de répulsion devant le spectacle qui se présente à ses yeux: rues étroites et voûtées, sans air et sans lumière, murs noirs de la crasse des siècles, amoncellement d'ordures nauséabondes où l'on bute à tous les coins de rue, atmosphère lourde et irrespirable où flottent d'indéfinissables odeurs. La population qui circule, qui s'agite, qui travaille dans ce milieu, ne présente point un aspect plus réconfortant. Les mines sont souffreteuses et pâles, les êtres gauches d'allure, mal bâtis ; le manque absolu d'hygiène et les excès de toute sorte dépriment ces gens, chez qui, cependant, l'intelligence reste vivace. On se demande quel Hercule et quel Alphée pourraient nettoyer ces écuries d'Augias, quel miracle de civilisation il faudrait pour relever cette population, la ramener physiquement et moralement à des habitudes plus saines, à une allure plus fière d'hommes conscients de leur dignité.

A. ELMALEH

(Archives de l'A.I.U., France, XIV, F, 25)

LES DIFFICULTÉS ADMINISTRATIVES DES COMMUNAUTÉS JUIVES DE TUNIS, 1892

Tunis, le 31 octobre 1892

[...]

Voilà déjà quelque temps que je ne vous ai entretenu des affaires de la communauté — ou des communautés — de Tunis. Cela ne veut pas dire que tout marche pour le mieux. L'administration de la communauté tunisienne se traîne tant bien que mal, percevant les droits que nous lui avons fait octroyer, satisfaisant aux besoins les plus urgents, ajournant les difficultés au risque de les voir grandir, en un mot vivant au jour le jour, sans progrès, sans modification heureuse ni solution des questions compliquées, mais vivant, enfin. Tel n'est pas le cas de la communauté livournaise[91], qui compte pourtant dans son sein la partie la plus instruite, la plus riche et la plus influente du judaïsme tunisien. Les membres composant ce groupe se sont toujours montrés farouches défenseurs de leurs privilèges, ils ont toujours été intransigeants et intraitables quand il s'est agi d'une fusion à opérer entre les deux fractions qui composent notre monde israélite. Les livournais ont voulu, en s'imposant des sacrifices, avoir leur cimetière spécial ; ils ont exigé, au risque de se mettre mal avec l'administration centrale de l'État tunisien, avoir une comptabilité spéciale et des services distincts. Le gouvernement du protectorat, que les affaires juives n'intéressent guère, et dont le programme est d'éviter, autant que possible, les difficultés, a laissé faire, et aujourd'hui les *grana* forment, au sein de la communauté, un État dans l'État ; ils ont nommé une commission qu'ils ont appelée comité de direction, et dont la mission principale était de maintenir l'autonomie de la petite communauté et d'en administrer les biens. On a mis à la tête de ce comité un vieillard très respectable, très charitable, mais faible de caractère, et auprès de qui les intrigants, les partisans intransigeants de la division, ont eu facilement gain de cause.

Mais tout se paie et la communauté *grana* récolte aujourd'hui ce qu'elle a semé. La division s'est mise dans son camp, si étroit soit-il, et depuis quelques temps tout va à la dérive. Le moment nous a paru favorable pour tâcher d'y porter un remède qui conduise au but désiré, c'est-à-dire à la fusion des deux communautés. Le rabbin *grana* étant très vieux et malade, nous avons proposé de le remplacer par un rabbin français. Ce rabbin, que nous ferions reconnaître par l'État comme chef spirituel du judaïsme en Tunisie, aurait pour mission d'aplanir les difficultés, de tourner les obstacles afin d'arriver à l'union...

Dans ces circonstances, le choix de l'homme est très important ; mais d'autres questions sont également à régler ; telles sont : le mode de nomination du rabbin, ses attributions, ses rapports avec les communautés, avec les rabbins, avec le tribunal rabbinique, avec les autorités locales ; ses émoluments et la manière de les payer, etc. Ce sont là autant de questions qui ne me paraissent pas insolubles, et que nous arriverons à résoudre si l'on fait choix d'un rabbin capable, intelligent, habile et (je vous demande pardon d'être aussi franc) désintéressé.

[...]

D. CAZÈS

(Archives de l'A.I.U., Tunisie, I, C, 4)

SITUATION COMPARÉE DES JUIFS TUNISIENS ET D'AUTRES COMMUNAUTÉS DE LA RÉGENCE, 1908

Tunis, le 6 février 1908

[...]

Les Français qui s'expatrient ne constituent pas ordinairement un élément d'élite. Tant s'en faut. Ils sont néanmoins instruits, simples, économes. Le climat ne leur permet pas de s'adonner à un travail fatiguant. Ils sont avant tout fonctionnaires. Élément protecteur, ils ont commencé par se protéger contre toute concurrence dans les emplois aisés et lucratifs des administrations...

Les Français qui ne sont pas fonctionnaires sont agriculteurs, commerçants, industriels, entrepreneurs et agents de transport, avocats, médecins, pharmaciens, dentistes, juges, arbitre-experts, agents d'affaires, etc.

Les Italiens forment l'élément travailleur par excellence de la Régence, l'envahisseur redouté de toutes les branches de l'activité dont l'admirable force de pénétration triomphe, malgré les lois édictées pour entraver sa réussite.

D'une sobriété et d'une endurance remarquables, ne reculant devant aucune besogne, vigoureux, économe, l'Italien forme la main-d'œuvre la plus recherchée, la vraie, l'unique classe ouvrière organisée de la Tunisie.

Dans la lutte économique elle représente non seulement un péril redoutable pour les Israélites, mais l'adversaire souvent victorieux des Français eux-mêmes... Dans l'agriculture, le commerce, l'industrie, les entreprises de construction, etc., les Italiens occupent le premier rang. Des traités sauvegardent leurs intérêts, un consulat actif soutient leurs revendications, les tribunaux européens seuls décident de leurs litiges. Nous sommes en présence d'un élément qui, évincé de la prédominance officielle et politique du pays, ne renonce pas à la prédominance réelle, économique et lutte pour sauvegarder ses intérêts.

Pendant de longues années, les musulmans sont restés les spectateurs impassibles des rivalités politiques et économiques des populations étrangères habitant leur pays: sobres, indolents, d'une insouciance toute fataliste, ils se laissaient vivre, se suffisant du revenu d'un immeuble en ville, d'une propriété rurale ou simplement du maigre produit d'un travail sans effort. Ceux qui s'adonnaient à un métier constituaient des corporations presque fermées. Routiniers, ignorant les combinaisons et les transactions commerciales ils végétaient tranquilles et indifférents.

La transformation rapide des conditions de l'existence en Tunisie, l'influence de l'exemple et de l'école, le renchérissement considérable de la vie, la nécessité mirent en branle cette masse inerte. Un grand nombre de jeunes gens formés dans les écoles françaises entreprirent de réveiller leurs coreligionnaires de cette torpeur morbide, de préparer une génération nouvelle instruite, active, possédant conscience des conditions de l'activité moderne...

Soit pour obéir à sa mission civilisatrice, soit pour contrebalancer l'influence des autres éléments prépondérants — Italiens et Israélites — le gouvernement encouragea le mouvement. Celui-ci s'étendit, prit une extension telle qu'aujourd'hui la presque totalité de la population française de la Régence crie au péril...

Souple, habile, entreprenant, possédant l'instinct précieux des affaires, l'Israélite était, avant l'éveil de la Tunisie à l'activité moderne, l'intermédiaire actif indispensable qui procurait à l'indigène musulman ses produits de première nécessité et vivait d'un négoce facile et suffisamment rémunérateur.

Cantonné dans la *hara*[92], sa préoccupation exclusive était ses affaires, son délassement favori, le plaisir de la table. Non d'une table raffinée mais d'une table épaisse et copieuse. Le lucre et la goinfrerie sont encore des défauts de nos coreligionnaires tunisiens que trente années de notre influence n'ont malheureusement pas assez entamés.

Après l'occupation, au fur et à mesure que la transformation progressive du pays nécessita une population spécialement préparée pour un travail intelligent et moderne, l'Israélite, élément malléable par excellence, heureusement secondé par les circonstances, muni d'une instruction primaire suffisante grâce à la création providentiellement opportune de notre école, répondit à merveille aux nouveaux besoins du pays. Banques, agences maritimes, agences commerciales, magasins de tous genres, tout fut envahi par les élèves sortant de notre école.

Le besoin croissant de cette catégorie d'employés, l'appât d'un salaire inconnu de leurs pères, l'aisance d'un travail pour lequel ils se sentaient des aptitudes héréditaires, le succès envié de quelques coreligionnaires, l'attrait, particulièrement sensible à des anciens persécutés, de devenir les suppléants des nouveaux maîtres, déterminèrent une véritable frénésie. Tous les jeunes gens sortant de notre école ne rêvèrent plus que d'occuper une place dans les banques, de se courber sur le bureau d'une agence...

Et pendant que la jeunesse israélite se fourvoie ainsi dans cette poursuite des places enviées, l'élément italien et arabe prend solidement position dans les professions manuelles qu'elle délaisse ou dédaigne. Elle préfère se ruer dans les antichambres des avocats, des avoués, des huissiers ou des bureaux de rédaction, heureuse si, après des mois de stage, elle parvient à gagner 30 ou 40 francs par mois.

La population israélite indigène de Tunis traverse une crise périlleuse. Des statistiques officielles concernant la distribution professionnelle de la population n'existent pas pour les Israélites comme pour les Français et les Italiens.

Pour avoir une idée du genre d'activité de la grande masse de la population israélite dans laquelle nous recrutons notre population scolaire j'ai dressé la liste des professions des parents de nos élèves... Sur 1 562 pères de famille nous relevons 218 tailleurs, 164 employés, 123 négoçiants, 108 cordonniers, 75 bijoutiers, 69 courtiers, 46 épiciers, 41 cafetiers, 37 pâtissiers, 31 ferblantiers, 31 colporteurs, 29 coiffeurs, 29 rabbins, 23 bouchers, 23 peintres en bâtiment, 21 fruitiers, 21 commissionnaires, 21 musiciens, 20 représentants de commerce, 18 fripiers, 18 merciers, 16 brocanteurs, 16 boulangers, 15 passementiers, etc. Les professions qui prédominent sont, comme vous le voyez, des plus miséreuses...

[...]

L. Guéron

(Archives de l'A.I.U., Tunisie, II, C, 5)

Passons à l'Orient : voici Le Caire, Jérusalem, Alep et l'Iran.

UNE COMMUNAUTÉ PROSPÈRE : LE CAIRE, 1895

Le Caire, le 22 août 1895

[...]

La communauté du Caire est certainement la plus considérable de l'Égypte. Elle compte, selon toute probabilité, de 20 à 25 000 âmes ; celle d'Alexandrie occupe le second rang pour le nombre. Comme toutes les communautés cosmopolites, celle du Caire renferme dans son sein les éléments les plus disparates : toutes les nationalités, tous les idiomes y sont représentés. Mais l'élément indigène, c'est-à-dire l'élément arabe est prépondérant ; c'est lui qui donne, pour ainsi dire, le ton à la communauté. C'est aussi l'élément le plus riche, le plus ancien et qui s'honore d'avoir donné naissance à la presque totalité des illustrations juives du Caire. Au point de vue des rites, le rite portugais est celui qui prédomine, mais il y a aussi plus de 400 familles caraïtes, dont la situation matérielle est, paraît-il, des plus prospères. Le rite allemand est représenté par plus de 400 familles. C'est la partie la plus pauvre, la plus récente aussi de la communauté, mais elle est active et laborieuse, elle arrivera certainement à se créer sa place au soleil.

Il n'y a pas longtemps, séphardim et ashkénazim formaient une seule et même communauté ayant une administration commune et le même chef spirituel. Malheureusement, depuis un ou deux ans, les ashkenazim — pour des raisons qu'il serait long et peut-être délicat d'exposer ici — se détachèrent et se constituèrent en communauté distincte, séparant ainsi leurs intérêts de ceux de leurs coreligionnaires du rite portugais...

J'ai remarqué avec une réelle satisfaction qu'un grand esprit de tolérance anime la majorité de nos coreligionnaires d'Égypte, et il serait difficile de rencontrer une population plus libérale et plus respectueuses de toutes les croyances religieuses. Cette largeur de vues leur fait grandement honneur et n'est peut-être pas étrangère à l'estime et à la sympathie dont ils jouissent généralement ici. On peut assurer, sans crainte d'être démenti, que les Israélites de ce pays sont aimés de leurs compatriotes musulmans et chrétiens et qu'à aucun moment de leur histoire ils n'ont cessé d'entretenir avec eux les relations les plus amicales. C'est une constatation particulièrement consolante et l'on ne peut s'empêcher de faire un rapprochement avec les pays — bien nombreux encore — où les diverses confessions s'observent avec hostilité, formant autant de camps ennemis prêts à s'entredévorer, et nourrissant les unes pour les autres des sentiments de haine et de mépris. Les Juifs égyptiens rendent d'ailleurs de grands services au pays, ils sont le principal facteur de sa prospérité. Ils ont fondé de nombreuses créations — établissements de commerce, institutions de crédit et industrielles — dont l'Égypte retire de grands profits. Leur présence est un bienfait inestimable et l'on pourrait difficilement se représenter une Égypte prospère sans cet élément actif, intelligent et honnête. Bien que plus de la moitié de nos coreligionnaires d'ici appartiennent à des nationalités étrangères, ils ne se lassent pas d'être très attachés à leur patrie d'adoption et saisissent toutes les occasions pour manifester leurs sentiments d'amour et de gratitude au gouvernement Khédivial, si bienveillant et si paternel pour toutes les populations qui vivent sur le sol hospitalier de l'Égypte.

Si les Juifs ont contribué à la prospérité du pays, ils en ont été largement récompensés. Ils ont acquis à leur tour de grandes fortunes qui leur permettent de vivre dans une large aisance et de faire beaucoup de bien. Les communautés égyptiennes sont, sans contredit, les plus riches de l'Orient, celle du Caire en est peut-être la plus prospère. Mais on y remarque de grandes inégalités sociales : à des fortunes colossales correspondent des misères insondables et entre ces deux extrêmes se monte une classe moyenne, très importante, vivant dans une honnête aisance et animée du meilleur esprit de charité et de solidarité.

Il semblerait pourtant qu'une certaine division règne dans la communauté, dont le président est M. Cattawi, le richard israélite bien connu. Malgré l'importance de ses revenus réguliers, que viennent grossir des dons volontaires considérables, l'assistance publique laisserait beaucoup à désirer et l'on est péniblement surpris de voir tant de mendiants dans une communauté aussi prospère. On se plaint de l'administration, qui ne gérerait pas avec toutes la vigilance voulue les finances dont elle a la garde et laisserait en souffrance les services publics. On voudrait une administration moins renfermée, qui rendît compte régulièrement de sa gestion et qui publiât chaque année un état détaillé de ses recettes et de ses dépenses. Il paraît que les contribuables n'ont jamais pu obtenir satisfaction sur ce point et cela irrite les esprits contre les notabilités — M. Cattawi entre autres — qui détiennent entre leurs mains l'administration de la communauté.

[...]

S. SOMEKH

(Archives de l'A.I.U., Syrie, I, C, 4)

PROFIL DES DIFFÉRENTES COMMUNAUTÉS JUIVES REPRÉSENTÉES DANS L'ÉCOLE DE L'ALLIANCE A JÉRUSALEM

Jérusalem, le 26 août 1901

[...]

Yéménite. — Le Yéménite au visage pâle et grêle, mince mais à la stature robuste, a des yeux vifs et très intelligents ; on sent, sous cette écorce rude, des malheureux qui ont été soumis dans leur pays éloigné à des privations de toute nature, à des souffrances morales et physiques qu'ils ont endurées avec le calme et le sang-froid... ; ils parlent presque tous assez couramment et assez correctement l'hébreu, ce qui est une preuve évidente que, au fond des villes perdues du Yémen, loin de tout centre intellectuel, au milieu des compatriotes qui les malmenaient avec brutalité et qui les traitaient en esclaves, ils ont cherché un refuge et une consolation suprême à leurs maux dans la méditation de la Tora et des livres saints ; ils sont assez versés dans la connaissance de la Bible principalement et non du Talmud, ils s'expriment avec beaucoup d'aisance en hébreu quand ils débarquent à Jérusalem. Ils sont très industrieux et très endurants ; les métiers les plus fatigants, ils les embrassent, et s'y livrent avec une ténacité exemplaire, pourvu qu'ils y trouvent le gagne-pain assuré de leurs familles. Leurs enfants participent des qualités de leurs parents, mais souvent, les familles bénies de Dieu sont nombreuses et le travail du père ne suffit pas toujours pour procurer le nécessaire à la marmaille qui court les rues, c'est pourquoi, malgré nos prières, les garçons sont retirés de l'école à l'âge de 10 ou 11 ans et aident leur père comme manœuvres dans les constructions où ils commencent à leur enseigner le métier de piqueurs de pierres, dans lequel ils sont passés maîtres ; jusqu'à présent aucun élève Yéménite n'est arrivé jusqu'en 6e.

Persan. — Le Persan a la figure grosse et jaune, le corps lourd, petit et trapu, et les yeux éteints ; son intelligence est complètement endormie, il n'a rien d'attrayant ni de sympathique et jusqu'au jargon persan inintelligible qu'il mâchonne entre ses dents, tout dénote chez les hommes venant du pays d'Assuérus, une race opprimée, abâtardie, dégénérée. Les études sacrées proprement dites, en dehors de la lecture mécanique des prières et de la Bible, y sont probablement inconnues et délaissées depuis longtemps ; aussi les élèves persans sont les plus paresseux, les moins avancés, ceux sur les progrès desquels nous comptons le moins. Malgré tous les efforts des maîtres, qui s'adressent à tous leurs enfants indistinctement, le développement intellectuel des Persans marche avec une lenteur désespérante. Pendant que le Yéménite, placé à ses côtés, sur le même banc, lit couramment une dizaine de pages de son syllabaire français, s'essaie à bégayer quelques mots dans cette langue, et s'intéresse aux petites opérations d'arithmétique, son camarade persan n'a encore pu saisir les deux premières pages du syllabaire ; il est rebelle aux choses abstraites. Aussi les Persans à Jérusalem ne sont utilisés que pour les grosses besognes, manœuvres dans les constructions, vidangeurs, etc. ; leur salaire journalier dépasse rarement un franc quand il y a de l'ouvrage ; les jours de chômage ils se promènent béatement dans les rues, ils pratiquent la flânerie d'une façon toute particulière. Les enfants persans se rebutent d'autant plus facilement qu'il est impossible au maître de causer avec eux dans leur langue maternelle et quittent l'école très précipitamment.

Séphardim. — Les Séphardim proviennent des villes où l'instruction est déjà en honneur, et appréciée par les parents les plus pauvres, qui se rendent compte que dans le siècle où nous vivons, un jeune homme ne fera pas son chemin dans la vie s'il n'a passé ses années d'enfance dans une école et s'il n'y a appris beaucoup de choses. Un exemple touchant. Il y a six mois, nous avions décidé de créer dans notre école un cours d'allemand, pour un certain nombre d'enfants, askénazim surtout. Un après-midi, je rentre de l'école et je trouve chez moi une vieille femme âgée de près de 70 ans. Elle se lève à mon arrivée, je la fais asseoir et je lui demande le motif de sa visite : « Monsieur, me dit-elle, de mon temps les écoles n'existaient point, mais nous comprenons que c'est une institution utile à nos enfants. Je suis venue vous supplier de faire enseigner aussi l'allemand à mon fils, s'il le faut, je payerai une petite somme, je la prendrai au besoin sur ma nourriture, mais je désire que mon fils ne reste pas ignorant comme son père. J'ai un autre fils sorti de l'école de l'Alliance d'Andrinople, et il gagne sa vie, grâce à l'instruction qu'il y a reçue, je veux que mon second fils acquière plus de connaissances que mon aîné. »

Un deuxième exemple : Il y avait dans une classe un mauvais sujet qui faisait le désespoir de tous les maîtres ; pour cause d'indiscipline, je l'avais renvoyé pour quelques jours de l'école. Aussitôt une

grand-mère très âgée de venir implorer le pardon de son petit-fils ;
sur mon refus, elle s'est mise à pleurer à chaudes larmes et elle a
ajouté : « Sa mère vient de décéder, avant de mourir, son père m'a
laissé comme suprême recommandation de ne le retirer de l'école de
l'Alliance que lorsqu'il aurait achevé ses études, ne voulant pas, a-
t-il dit, que son fils souffre de l'ignorance comme il en avait souffert
lui-même. » Je m'empressai naturellement de reprendre l'enfant. Ce
sont des indices consolants du réveil de toute une population,
puisque les vieux dont nous pouvions avoir à craindre le mauvais
vouloir, reconnaissent que hors l'instruction, point de salut. Les
Séphardim sont donc plus assidus et ne désertent que dans des cas
très rares.

Achkénazim. — Les Achkénazim forment pour ainsi dire à Jérusalem une caste à part n'ayant presque rien de commun avec leurs
coreligionnaires du rite sépharade. Leur communauté est entièrement distincte de la nôtre : ils ont leurs revenus, leur gabelle sur la
viande, leurs *chohetim*[93], leurs temples et leurs écoles ; ils sont dans
tous les cas plus intransigeants que les Séphardim, puisqu'un grand
nombre de ces derniers vont se procurer leur viande chez les
bouchers du rite achkénaze, et que jamais un achkénaze n'ira se
fournir de viande chez un boucher sépharade, la viande étant même
reconnue *taref*[94] par la plupart des docteurs achkénazes. Sous le
rapport de l'instruction, ils sont absolument intraitables : du sommet
au bas de l'échelle hiérarchique, l'enseignement de toute matière
profane est déclaré un blasphème contre la religion mosaïque. David
a dit dans un de ses psaumes : « Tu méditeras la loi du matin au soir »
et ils s'y tiennent strictement à la lettre de cette recommandation du
roi poète. Seulement au lieu de la Bible, c'est le Talmud qu'ils
fouillent et scrutent dans toutes ses parties ; ... leurs cadenettes
tombant tout le long de leurs tempes, ils représentent encore et pour
longtemps l'esprit obscurantiste et conservateur par excellence ; ils
se posent comme les chérubins placés devant l'arche sacrée et
préposés à la garde des véritables traditions du judaïsme. Ah ! si en
effet ils conservaient la pure, saine et sainte morale qui découle d'un
enseignement élevé et rationnel de la loi, on leur pardonnerait
aisément l'éloignement caractéristique qu'ils témoignent pour les
écoles ; mais il y a parmi eux une corruption honteuse et sans nom ;
des scandales récents ont dû dessiller les yeux aux plus farouches
pharisiens et leur montrer que, sous des apparences d'une sainteté

extérieure de leur vie, sous ce rigorisme affecté, leurs chefs religieux cachent des mœurs très dissolues. Malgré toutes les mesures prises par les Comités achkénazim pour empêcher leurs enfants de se contaminer à notre contact, bien des familles plus éclairées que les autres nous confient leurs enfants et ceux-ci s'en trouvent si bien, que ce sont les agents propagateurs de nos idées libérales ; nul doute que le nombre n'augmente insensiblement d'année en année, en dépit des excommunications tous les ans répétées contre les institutions où l'on enseigne des matières profanes, et malgré les menaces de la suppression de la *halouka*.

D'une façon générale l'étude du Talmud aiguise l'esprit, développe et affine les facultés mentales, aussi les jeunes gens qui viennent chez nous après avoir passé plusieurs années au *héder*, sont très vifs, et ils ne tardent pas à prendre en peu de temps la tête de leurs classes, ils ont un pouvoir d'assimilation remarquable, ils sont d'une persévérance modèle, appliqués, d'une conduite exemplaire ; ils entrent généralement âgés et ils ne quittent l'école qu'après avoir achevé leurs études primaires... Je dois vous dire que j'ai un faible pour les Achkénazim, que je les favorise autant que je le puis, que je les pousse dans les études et que j'use de tous les moyens pour les attirer dans notre école ; cette muraille de Chine que les Achkénazim ont élevée entre eux et nous tombera peu à peu, le rapprochement se fera à la longue, et les jeunes gens que nous aurons instruits seront nos meilleurs auxiliaires pour cet objet...

A. BENVENISTE

(Archives de l'A.I.U., France, XI, F, 20)

LES JUIFS D'ALEP, 1931

Alep, le 15 avril 1931

[...]

Population israélite de Syrie

a) Leur nombre :

La population israélite de la Syrie du Nord s'élève à plus de 8 000 âmes. Tous ces coreligionnaires appartiennent au rite sépharade.

b) Leur distribution selon les principales régions et villes :

A l'exception d'une infime minorité, tous habitent la ville d'Alep proprement dite, 20 familles juives sont établies à Antioche, 10 familles à Alexandrette, 15 familles à Tedef et 50 familles à Kamichelé.

c) Quels sont les métiers ou professions exercés par les Israélites?

Sur les 7 500 âmes qui forment la communauté israélite d'Alep, on compte 3 à 3 500 pauvres. Ils reçoivent durant la fête de Pâque le pain azyme grâce à la générosité des autres coreligionnaires alépins. Ils sont pour la plupart des savetiers, des matelassiers, des ferblantiers, des cireurs de bottes — ce dernier métier est très répandu en Orient, nombreux sont ceux qui se font ici cirer leurs chaussures deux ou trois fois par jour —, des portefaix, des épiciers, des relieurs, des marchands ambulants et surtout des colporteurs. En outre, on compte parmi nos coreligionnaires alépins un grand nombre de petits boutiquiers, de marchands d'étoffes, une trentaine de courtiers, dix tailleurs, quatre droguistes, deux dédouaneurs, quatre transitaires, quinze bijoutiers, sept à huit commissionnaires puissants, vingt grands négociants possédant de deux à huit mille livres et cinq à six banquiers.

Communautés juives

a) Dans quelles villes existe-t-il des communautés juives?

Il existe à Alep une grande communauté juive qui se compose de 7 500 âmes environ.

b) Quelles sont leurs attributions?

La Constitution syrienne n'ayant pas encore été promulguée[95], les statuts des minorités ainsi que leurs attributions n'ont pas été clairement définis. Cependant les communautés des rites non musulmans continuent à bénéficier des prérogatives que la Sublime Porte leur accordait avant le détachement de la Syrie de l'Empire ottoman. C'est ainsi que chaque communauté non-musulmane, à Alep, a son chef spirituel, son conseil communal, son tribunal religieux et des œuvres de bienfaisance.

c) Comment sont-elles organisées?

Nos coreligionnaires notamment sont représentés auprès des autorités mandataires et locales par notre grand-rabbin. Leurs différends d'ordre religieux et souvent d'ordre purement commercial sont tranchés par notre *beit-din* ou tribunal rabbinique. Les notables de la communauté confient au Conseil communal le soin de gérer les affaires intérieures de la communauté. Le Conseil communal réunit les fonds nécessaires pour payer les honoraires du grand-rabbin, ceux des *dayanim*, des *chohetim* et des autres serviteurs de la communauté. Il s'occupe également de la distribution du pain azyme aux pauvres.

d) Quand ont-elles été créées?

Certaines inscriptions qu'on trouve sur de vieilles pierres de la grande synagogue d'Alep font remonter sa construction à l'époque d'Alexandre le Grand. Nous devons croire que nos coreligionnaires sont établis dans la Syrie du Nord depuis les époques les plus reculées. Les Juifs alépins affirment que la citadelle d'Alep renferme une grosse pierre sur laquelle on lit l'inscription suivante: « Moi Joab ben Serouya ai conquis cette ville à mon Seigneur le roi David. » Je vous dirai en passant que, personnellement, j'ai cherché cette inscription avec le professeur Slousch qui était il y a deux ans de passage à Alep, mais nous ne l'avons pas trouvée.

A-t-on fait disparaître à dessein ce témoignage de l'ancienne puissance d'Israël, ou cette pierre existe-t-elle encore dans les Psaumes (chapitre LX plaintes et prières, David, verset 2) le roi David fait allusion au combat de Joab contre la Syrie de Tsoba; or Alep n'est autre que « Aram Tsoba »; ce passage des Psaumes confirme la déclaration de Joab ci-haut mentionnée. En outre, je vous ajouterais que d'après la légende fort répandue dans la population musulmane et juive d'Alep, que le nom d'Alep ou « Halab » a été donné à cette ville en souvenir du campement qu'avait fait Abraham Abinou, sur une des collines qui la dominent, et où il avait fait traire sa vache « Halab signifie en arabe traire ».

[...]

E. Penso

(Archives de l'A.I.U., Syrie, I, C, 3)

REGARD SUR LA COMMUNAUTÉ JUIVE DE TÉHÉRAN, 1904

Téhéran, juin 1904

Situation matérielle et morale des Israélites de Téhéran

[...]

La situation matérielle des Juifs est encore des plus précaires;

cette misère générale est la conséquence des persécutions, des exactions et des restrictions qui entravèrent le commerce et la lutte pour la vie de nos coreligionnaires. Quand on a à défendre son existence toujours en péril, on songe peu à faire fortune. A une époque où par suite de l'incurie du gouvernement, les routes n'étaient pas sûres pour les musulmans eux-mêmes, où des brigands ne reculaient pas devant le projet audacieux de mettre à sac et de rançonner tout un quartier populeux de la ville, on comprend que l'homme riche et partant le Juif aisé devint une cible pour la cupidité des musulmans ; si on ajoute à ces causes de misère la rapacité des gouverneurs qui imposaient de trop lourdes contributions à ces gens taillables et corvéables à merci et l'ostracisme qui pesait sur ces êtres impurs par ordre supérieur des *mouchtéeds* (grands prêtres), de sorte que leurs marchandises ne trouvaient point de débouchés, on conçoit que nos coreligionnaires soient tombés dans un dénuement si complet ; encore aujourd'hui les Israélites ne vivent pas de plain-pied avec les musulmans : il leur est interdit par exemple d'avoir une boutique dans les bazars et sont obligés de se réfugier dans des caravansérails fermés.

Mais à supposer qu'ils fussent riches, qu'auraient-ils fait alors de leur fortune ? Les Israélites n'avaient pas le droit de bâtir des habitations qui auraient paru luxueuses aux *sayeds* (prêtres musulmans) ; or aux yeux d'un *sayed* une maison tant soit peu confortable est un luxe pour des êtres impurs. L'emploi des motifs de décoration étaient rigoureusement interdit aux Juifs... On leur défendait également de construire des habitations à plusieurs étages, de donner trop d'espace à leur cour, de percer leurs murs d'un grand nombre de fenêtres ; on leur disputait, en un mot, l'air, le soleil, le droit à la vie.

De là, le tassement des maisons. Soit par l'effet des prescriptions émanant du clergé, soit par suite de l'incurie et de la mollesse essentiellement persanes, soit encore à cause de l'ignorance des lois élémentaires de l'hygiène, le ghetto de Téhéran est peut-être le quartier le plus compact de la Perse. Dans les villes de province, à Hamadan, à Seneh, à Ourmiah, même à Ispahan, on peut trouver quelques bâtisses dégagées, quelques habitations dépourvues d'enjolivements, mais ayant des pièces larges et une cour spacieuse ; à Téhéran les recherches faites en vue de trouver un local pouvant être transformé en bâtiment scolaire n'ont abouti à aucun résultat et on a été forcé d'affecter à cet usage deux habitations communiquant par de sombres couloirs.

Le ghetto de Téhéran pourrait être appelé sans exagération une ville de boue. Enchevêtrées en labyrinthe, les ruelles tantôt à ciel ouvert, tantôt en couloirs, sont si étroites qu'on éprouve en les parcourant l'instinctive crainte de les voir se terminer en cul-de-sac. Bordant ces corridors contournés, les maisons faites de moellons et de briques d'argile ou de glaise séchées au soleil, veuves de tout crépi, paraissent s'être résignées à voir la pluie ronger peu à peu leurs murailles et à les faire crouler en purée sur la tête des passants ; l'incurie des propriétaires achève de démolir le reste ; ils ignorent ce sage proverbe anglais, à savoir « qu'une tuile remise à point en sauve neuf ». Enserrant de toutes parts une cour étroite, à peine large comme un mouchoir de poche, les pièces s'entassent, sans ouvertures, sombres et nues. Point de ces jardinets ombreux qui sont, dans des contrées plus hospitalières, le complément des habitations. C'est dans ces terriers qu'ont vécu pendant des siècles nos coreligionnaires.
[...]

L. LORIA

(Archives de l'A.I.U., Iran, II, C, 6)

VII

L'influence de l'Occident et des écoles de l'Alliance

Les maîtres étaient prompts à rapporter les progrès de l'occidentalisation et les transformations qui en découlaient. Bien entendu, le mérite en revenait essentiellement, selon eux, aux écoles de l'Alliance qui en avaient pris l'initiative. Leur correspondance avec Paris est parsemée de comptes rendus enthousiastes s'émerveillant des changements intervenus grâce à leur mission, mission que complétait heureusement une présence occidentale croissante au Moyen-Orient et en Afrique du Nord.

LA MÉTAMORPHOSE DE CASABLANCA

Casablanca, le 28 novembre 1909

[...]

Casablanca — Il y a quelques années à peine, il était permis d'ignorer le nom de Casablanca ; ce petit port perdu sur la côte ouest du Maroc ne s'imposait par rien de particulier ni de saillant, à l'attention des étrangers ; et sauf les trois mois de l'été, durant lesquels l'exportation des céréales y créait quelque activité ; tout le reste de l'année s'écoulait dans une mélancolique et lassante monotonie. D'ailleurs, sa rade inclémente était aussi peu hospitalière que le fanatisme des Maures ; elle en devenait presque l'inconsciente complice...

La pénétration pacifique française a non seulement transformé l'aspect de la région, mais encore en a accru, dans une très large mesure, l'importance commerciale. L'essor que les Européens ont contribué à lui donner est tel que l'on peut dès maintenant, et sans témérité, prévoir pour elle le plus bel avenir. Si Tanger demeure toujours le rendez-vous des touristes et la capitale diplomatique du Maroc, Casablanca en est déjà la capitale commerciale. Débouché d'une des plus riches provinces de l'Empire chérifien, mieux exploitée et plus féconde pour ainsi dire depuis que les armes françaises y font régner l'ordre et la tranquillité. Centre d'immigration européenne, réceptacle de toutes les activités productives faute d'emploi, nul doute que ce port se voit destiné, dans une époque prochaine, à devenir la corne d'abondance du Trésor chérifien...

Casablanca a perdu son cachet local et marocain. Elle s'est entièrement métamorphosée et un grand nombre de personnes le regrettent. La fièvre du trafic a succédé à la quiétude et aux charmes du *far niente*, à la douce et poétique indolence. Toute la mélancolie des soirées d'automne a disparu. Le bruit des camions couvre la voix du muezzin. La matière a vaincu l'idéal ; les besoins du corps, la soif des richesses, ont tué les aspirations de l'âme et du cœur humain. Les habitants de Casablanca, fascinés par le veau d'or, ont oublié Dieu ! La civilisation européenne y a pris pied.
[...]

A. Saguès

(Archives de l'A.I.U., France, XIV, F, 25)

L'EFFET BÉNÉFIQUE DES ÉCOLES SUR LES JUIFS DE SALONIQUE

Salonique, lettre reçue le 3 janvier 1909
[...]

La communauté salonicienne a été profondément transformée par l'œuvre de l'Alliance. Si elle est aujourd'hui une des plus avancées de l'Orient, c'est aux institutions de cette société qu'elle le doit. La première école de Salonique date de 1873. C'est l'Alliance qui la fonda. Elle en fonda encore six autres par la suite. Plus de 5 500 élèves — 3 100 garçons, et 2 400 filles — ont été formés dans ces écoles. D'autre part, l'œuvre d'apprentissage a permis à plus de 450 de nos coreligionnaires de cette ville d'apprendre un métier.

Ainsi, les 12 % environ de la population israélite ayant dépassé l'âge de 20 ans a bénéficié de l'action de l'Alliance. Presque tous les employés de commerce, la majeure partie de nos commerçants, une grande partie de nos bons ouvriers, presque tous les médecins, les avocats et les ingénieurs israélites de cette ville, ont passé par les écoles entretenues ici par cette société. De plus, sous l'influence de cette légion d'hommes éclairés dont l'effectif s'accroît sans cesse, d'autres écoles se sont formées, des journaux, des sociétés multiples ont été fondées qui ont vulgarisé l'instruction et ont répandu dans la masse des idées saines, le goût du travail et la pratique de la solidarité.

Quand on compare l'état actuel de la communauté à celui d'avant 1873, on constate une heureuse métamorphose. Avant cette date, les personnes ayant une instruction étaient excessivement rares. C'est par milliers qu'elles se comptent aujourd'hui. La sollicitude du comité central de l'Alliance et le dévouement de ses agents ont accompli, en un tiers de siècle une importante œuvre de régénération intellectuelle et morale.

[...]

M. Benghiat

(Archives de l'A.I.U, Grèce, I.C, 48)

LE RELÈVEMENT DES JUIFS DE BAGDAD, 1913

Bagdad, le 26 octobre 1913

[...]

Placée au carrefour des routes menant en Perse, au Golfe persique, vers les Indes, en Syrie ou en Asie mineure, que son nom fut Babylone, Ctésiphon ou Bagdad, cette capitale a toujours été le rendez-vous des grandes caravanes de commerce. Avant 1869, Mossoul, à cause de sa proximité d'Alep, attirait vers elle une partie des marchandises à destination de l'Irak. Le canal de Suez lui porta un coup fatal et fit de Bagdad l'unique entrepôt des produits européens pour toute la Mésopotamie et la Perse occidentale. Or la fondation de votre première école dans cette ville coïncida presque avec le percement de l'isthme de Suez ; nos coreligionnaires furent donc à temps pour se préparer à bénéficier de l'heureuse répercussion que l'œuvre de Ferdinand de Lesseps devait avoir sur le commerce de cette région. La Perse et l'Irak demandent à l'Europe deux articles principaux : les cotonnades de Manchester et le sucre de Marseille ou de Belgique. Mais les cotonnades forment l'objet essentiel du transit pour l'Iran. C'est donc vers l'Angleterre que devaient se tourner tout d'abord les efforts des premiers élèves sortis de nos classes. Vous connaissez l'influence anglaise dans le Golfe persique et à Bagdad. Dès le milieu du siècle dernier, les Anglais ont cherché à prendre pied en Mésopotamie, ils ont aujourd'hui sur le Tigre une ligne importante de navigation, ils détiennent le meilleur service postal entre Bagdad, l'Inde et l'Europe... De riches maisons anglaises ont presque accaparé le commerce d'exportation, (laines, céréales, réglisse, dattes) que les indigènes ne peuvent faire à cause des risques qu'il comporte et des grands capitaux qu'il exige... Eh bien aussi de bonne heure, vous eûtes la prévoyance de compléter à Bagdad le programme général de vos écoles par un enseignement pratique de la langue anglaise...

Avec d'aussi beaux atouts dans leurs mains, instruction, probité et sens pratique, joints à leur esprit inné d'économie et à leur merveilleuse aptitude pour les affaires, vous concevez que nos coreligionnaires aient de loin distancé leurs concurrents musulmans et chrétiens. Ils ont presque monopolisé le grand commerce d'importation qui appartenait autrefois aux Chiites. Leur influence est telle sur le marché que les samedi et les jours de fête juive, les *souks*[96] sont déserts, les banques chôment. Il y a dans la communauté plusieurs fortunes dépassant un million de francs ; quelques unes atteignent les trois millions. Nombreuses sont les fortunes de 100 à 500 mille francs. Autrefois on évaluait la richesse en piastres ; on la calcule aujourd'hui en livres turques. La classe aisée grossit chaque année de toutes les recrues qui lui fournissent les nouvelles générations qui sortent de nos écoles...

Si du haut commerce nous passons à la classe des employés, là aussi nous constaterons les précieux services rendus par notre école au point de vue économique. Nous avons préparé pour la place de Bagdad plusieurs centaines de commis, comptables, correspondanciers, placiers, etc. qui gagnent leur pain grâce à l'instruction que nous leur avons donnée. La grande majorité de ces employés appartenait à la classe pauvre ; nous avons donc relevé leur condition. Quelques-uns d'entre eux se sont créé des situations très enviables. Le courtier en sucre de la Banque ottomane qui est aussi placier d'une société autrichienne et agent d'assurance de l'Union se fait facilement 40 000 francs par an. Les bons comptables au souk arrivent à gagner 250 à 300 francs par mois, les commis 100 à 200 francs. Les élèves qui ont été diplômés de notre cours commercial en ces deux dernières années ont trouvé à s'employer sans passer par le surnumérariat avec un traitement de début de 100 francs. A la Banque ottomane nous avons une dizaine de nos anciens élèves. L'un qui est sous-directeur touche 800 francs par mois, les autres de 150 à 250 francs. Une banque anglaise, l'Eastern Bank, a ouvert une agence à Bagdad il y a deux ans, elle a choisi presque tout son personnel parmi nos anciens élèves. Le chef comptable, un jeune homme de 25 ans, est payé de 400 francs ; il touche d'autre part 250 francs, comme *drogman*[97] du consulat d'Italie ; il a donc un traitement total de 650 francs. Les *drogmans* des consulats d'Allemagne et d'Autriche reçoivent 250 à 300 francs.

La femme est en train de se relever de sa condition d'esclave. Le fléau du mariage précoce a presque disparu. Les jeunes filles qui sortent de nos classes apportent en ménage des qualités précieuses qui les recommandent à l'estime de leurs maris. Elles sont instruites, elles savent coudre, broder, elles possèdent des notions d'hygiène et d'économie domestique grâce auxquelles elles arrivent à donner à leur intérieur un aspect propre et coquet inconnu autrefois à Bagdad, elles ont un soin de leur dignité qui en impose à leur entourage ; elles témoignent une affection intelligente pour leurs enfants, un attachement plus éclairé pour leurs époux dont elles deviennent ainsi les compagnes et les égales. Les maisons israélites autrefois harems, jalousement fermées, s'ouvrent progressivement aux étrangers d'abord, puis aux indigènes. Les jeunes filles de notre école sortent bien encore le visage couvert, mais elles ont graduellement amené le voile jusqu'à n'en faire qu'une simple voilette très transparente. C'est un signe des temps. L'époque est proche où ce dernier vestige de l'esclavage féminin disparaîtra et ce sera alors l'émancipation définitive à laquelle aspirent ardemment les jeunes générations.

Le progrès des mœurs se manifeste encore davantage chez les hommes. Nos anciens élèves, qui sont légion, se distinguent par leur tenue correcte, leurs manières et leur langage policés. Plusieurs d'entre eux ont fait leur tour d'Europe et en témoignent par leur façon d'être et de penser. Le contraste est frappant entre les anciens Bagdadiens et les nouveaux. Autant l'Israélite d'autrefois était humble, servile, habitué à courber l'échine devant le musulman, autant les jeunes gens actuels sont conscients et jaloux de leur dignité d'hommes et de citoyens. La constitution leur a fait espérer un régime de justice et de liberté dont ils attendent la réalisation...

Tous ces changements, toutes ces œuvres nouvelles sont dus à l'initiative de vos anciens élèves, c'est l'œuvre de votre école : vous avez pendant près d'un demi-siècle dépensé vos efforts et votre argent dans la capitale de l'Irak. Nos représentants ont lutté contre les obstacles de tous genres, indifférence des populations, opposition des rabbins, entraves des autorités, hostilité du climat, isolement, exil ; mais ils ne se laissaient décourager par rien, allant de l'avant, sûrs que le grain qu'ils semaient lèverait un jour. La moisson a grandi et la récolte approche. Je m'honore d'avoir été un des modestes ouvriers de cette œuvre de longue haleine dont les résultats se manifestent d'une façon si éclatante. J'ai eu la joie d'assister au développement extraordinaire de votre œuvre scolaire à Bagdad et à sa diffusion en Mésopotamie, le nombre de vos institutions ayant passé en ces neuf dernières années de quatre à seize et leur effectif ayant été porté de 1 500 à 4 500 élèves. Je quitterai à regret cette intéressante communauté si pleine de promesses et d'avenir. Dans quelques années, aussitôt que le chemin de fer reliant Bagdad à Constantinople sera terminé, on verra la civilisation faire une irruption violente dans l'Irak. Nos coreligionnaires seront prêts à l'accueillir. Alors cette communauté si importante par le chiffre de sa population et si brillante par sa prospérité économique pourra avancer hardiment dans la voie du progrès et jouer le rôle qui lui revient dans le judaïsme d'Orient.

[...]

N. ALBALA

(Archives de l'A.I.U., France, XII, F, 21)

TROISIÈME PARTIE

L'INSTITUTEUR DE L'ALLIANCE, OBSERVATEUR POLITIQUE ET MILITANT

Fidèle à ses statuts, l'Alliance prenait la défense des Juifs partout dans le monde et combattait sans relâche pour leur égalité dans les pays où ils n'avaient pas encore été émancipés. Ses interventions dans le domaine international, ses démarches auprès de divers gouvernements pour qu'ils corrigent les abus et sa participation active aux congrès internationaux comme le Congrès de Berlin en 1878, la conférence de Madrid en 1880 et la conférence de la paix de Versailles en 1919, sont autant de contributions non négligeables à la cause des Juifs[98].

L'action menée localement par le représentant de l'Alliance reflétait celle de l'organisation sur la scène politique mondiale. L'instituteur ne manquait jamais d'informer Paris des troubles et des incidents antisémites et, si nécessaire, demandait au comité central d'intervenir auprès des autorités compétentes. Il était, surtout dans les régions éloignées du pouvoir central, la seule personne vers qui les communautés juives pouvaient se tourner, à moins d'appeler à leur secours leurs frères de l'étranger. Au niveau local, la façon dont il réagissait était souvent décisive en période de crise (c'était toujours l'instituteur qui agissait, l'institutrice ne pouvant assumer un rôle aussi éminemment politique). Plusieurs voies s'offraient à lui. Il pouvait intervenir auprès des autorités locales. Si cette démarche restait sans effet, il pouvait demander l'intercession des consuls européens. Si néanmoins le problème paraissait insurmontable, il lui restait la possibilité de le confier à l'Alliance qui prenait contact avec le Quai d'Orsay ou s'adressait au gouvernement du pays concerné.

En un mot, là où il se trouvait, l'instituteur jouait le rôle traditionnel du *shtadlan*. Intercesseur de la communauté auprès des autorités, le *shtadlan*, surtout important dans les communautés d'Europe centrale et orientale à la période pré-moderne, fut en fait une constante de l'histoire juive en diaspora. Homme généralement riche et respecté aussi bien parmi les Juifs que les non-Juifs, il entretenait des rapports, d'affaires ou autres, avec les autorités. C'était en général aux notables qu'était dévolue cette tâche importante entre toutes.

La reprise de ce rôle par l'instituteur de l'Alliance traduisait à la fois une redistribution du pouvoir à l'intérieur de la communauté juive et un nouveau rapport de forces entre les Juifs et les musulmans. L'instituteur tirait toute son autorité de son association avec l'Occident, du lien direct qu'il pouvait nouer avec un centre jugé important de pouvoir en Europe. Plus la pénétration européenne se renforçait au Moyen-Orient et en Afrique du Nord, plus ce lien devait être précieusement maintenu. Même si les notables demeuraient puissants dans ces sociétés fondamentalement oligarchiques, les pressions exercées par l'instituteur paraissaient plus efficaces. D'une façon générale, en milieu juif comme en milieu musulman, le pouvoir de décision avait de plus en plus tendance à échapper aux instances traditionnelles, à savoir les élites juives ou les pouvoirs publics.

La reprise de ce rôle de protecteur par l'instituteur de l'Alliance traduisait également l'érosion, lente mais continue, du statut de *dhimmi* qui pendant des siècles avait été celui des Juifs en terre d'Islam. En vertu de la *dhimma*, le pacte qui régissait leur existence sous domination musulmane depuis les tout débuts de l'Islam, les Juifs, mais aussi les chrétiens, formaient deux communautés tolérées[99]. Les uns et les autres bénéficiaient de la liberté de culte et de la protection, en contrepartie du paiement d'un impôt spécial, la capitation, et de la soumission à une législation discriminatoire. Appliquée avec plus ou moins de sévérité selon le temps et le lieu, celle-ci leur interdisait de construire de nouvelles églises ou synagogues, les obligeait à porter des vêtements de couleurs distinctes, de descendre de cheval en présence de musulmans, leur proscrivait le port d'armes, etc., autant de restrictions

destinées à mettre en relief le statut inférieur du *dhimmi*. Le
Juif ou le chrétien dépendaient du bon vouloir de ses maîtres,
sans recours possible.

L'irruption des intérêts européens rompit cet équilibre séculaire. Les Européens protégeaient les non-musulmans, notamment les chrétiens, et exerçaient des pressions sur les
autorités musulmanes afin qu'elles traitent tous leurs sujets,
musulmans et non-musulmans, sur un pied d'égalité. Ainsi,
c'est contraints et forcés que l'Empire ottoman adopta le
Décret de réforme de 1856 et la Tunisie, le Pacte fondamental
de 1857. De leur côté, les interventions incessantes d'un
nombre croissant de consuls européens donnèrent une nouvelle dimension aux relations entre musulmans et non-musulmans en terre d'Islam. La *dhimma* ne pouvait plus s'exercer,
maintenant que le rapport de forces s'était modifié en faveur
de l'Europe, laquelle menait une politique de plus en plus
active de pénétration dans les pays musulmans.

La protection accordée par les consuls aux non-musulmans
venait compliquer la situation. Selon les traités de Capitula-
tion signés entre les puissances musulmanes et divers États
européens depuis le XVIᵉ siècle, les Européens travaillant ou
voyageant en pays musulmans bénéficiaient de privilèges ex-
tra-territoriaux, tel que le droit d'être jugés, non par les
tribunaux locaux, mais par des cours européennes. Peu à peu,
ce privilège, ainsi que d'autres, furent étendus à des autochtones, en majorité non-musulmans, travaillant au service des
consuls ou des marchands européens. Ces « protégés » des
consuls échappaient totalement à la juridiction locale et jouissaient de la quasi-totalité des droits accordés aux Européens.
Au fil du temps, ils se virent naturalisés par leurs protecteurs,
sans avoir jamais foulé le sol de leur nouvelle patrie. Vers le
milieu du XIXᵉ siècle, l'utilisation abusive et généralisée de ce
système de protection, aussi bien par les notables locaux que
par les consuls, était devenue une source d'irritation continuelle pour les dirigeants musulmans.

Ce système était florissant, non seulement à cause des
multiples avantages matériels que pouvaient en retirer de
riches marchands, mais aussi parce que se placer sous la
protection d'un consul européen était souvent la seule façon

d'échapper à l'arbitraire de la justice locale ou à l'oppression mesquine de gouverneurs capricieux. En période de troubles et d'anarchie, c'était souvent la seule garantie de pouvoir mener une existence sûre. Cependant, ce système alimentait l'animosité de la population envers les non-musulmans, de plus en plus associés désormais à l'Occident victorieux, ce qui, par un cercle vicieux, poussait ces derniers à réclamer davantage de protection. L'Occident accentuant sa présence dans le monde musulman et étendant par la même occasion sa protection aux non-musulmans, la *dhimma* cessa d'être opérante ; un nouvel équilibre s'instaura en terre d'Islam, au détriment des musulmans et au bénéfice des non-musulmans.

I

L'œuvre de protection

L'instituteur de l'Alliance, en association avec les consuls européens et en contact direct avec Paris, étendait, par son action, la protection occidentale à l'ensemble de la communauté juive. Cette protection *de facto* dépendait, lors de chaque incident, de la capacité de l'instituer à mobiliser les représentants consulaires et les instances européennes. Néanmoins, en tant que *shtadlan*, l'instituteur jouait objectivement le rôle politique de consul pour l'Alliance, de représentant officiel des Juifs. Le fait qu'il ne s'appuyait pas sur la force d'un État, mais qu'il dépendait des représentants des pays occidentaux pour protéger les Juifs signifiait que ses efforts n'étaient pas sûrs d'aboutir, encore que ce fût souvent le cas. En fin de compte, l'aide qu'il pouvait apporter aux Juifs était à la mesure de l'ascendant croissant de l'Occident dans les affaires de l'Orient.

Non négligeable dans tous les pays où l'Alliance était active, la mission de protection assumée par ses représentants revêtait une importance particulière dans certaines contrées, comme par exemple le Maroc d'avant le Protectorat[100]. Face à un pouvoir central affaibli, en butte à des révoltes tribales sur une grande partie de son territoire qui menaçaient jusqu'aux grands centres urbains contrôlés par le sultan, face également à une déstabilisation croissante due aux intrigues des Européens, seule la protection accordée par un consul européen paraissait offrir une garantie de sécurité :

Tanger, le 25 août 1864

[...]

La protection que le gouvernement anglais accorde aux Juifs du Maroc n'est pas sérieuse ou mal interprétée par ses agents consulaires. Un sujet illustre de S.M. britannique, sir Moses Montefiore, vient au Maroc recommandé par lord John Russell, même le ministre anglais l'accompagne sur tout son voyage et le sultan donne un *firman*[101] en faveur des Israélites. A qui importe-t-il plus qu'au ministre anglais de faire exécuter ce décret et de s'opposer à tout acte d'injustice. Mais Mr. Hay n'aime pas les Juifs, voilà pourquoi il ne les protège pas malgré les ordres et les instructions qu'il reçoit de Londres... Quand les autres consuls font une réclamation en faveur de nos coreligionnaires, il s'y refuse sous le prétexte qu'une révolution pourrait éclater... Une protection que le ministre britannique pense accorder est très vague et d'aucune valeur réelle, car les murailles n'ont point besoin de protection. Il est donc urgent de placer l'école sans retard sous la protection française, je vous prie de vouloir bien faire les démarches nécessaires pour obtenir cette protection. Je vous prie en outre de m'excuser si j'ai été trop violent mais je ne puis résister à mes sentiments et à mon amour national[102]... Si jamais une émeute éclate ici contre les Israélites, ce sera par la faute du ministre anglais qui prêtera sa main et la provoquera. C'est un homme très dangereux. Tout le monde en convient mais ils ont peur de le dire et encore plus de l'écrire. Mais moi, adhérant et employé de l'Alliance, je ne crains que Dieu et ma conscience. [...]

B. LÉVY

(Archives de l'A.I.U., Maroc, I, C, 1-2)

Comme on l'a vu, jusqu'à une période avancée du XXe siècle, les écoles de l'Alliance ne bénéficèrent pas d'une protection officielle de la France ; par conséquent, les instituteurs dépendaient du bon vouloir des représentats consulaires sur place. En l'occurrence, sir Drumond Hay, qui n'était pas un grand ami des Juifs, œuvra activement, quoique sans succès, au démantèlement du système des « protégés ». Cependant, le simple fait d'être associé à l'Europe suffisait souvent à donner, aux yeux des autochtones, un certain pouvoir à l'instituteur de l'Alliance.

Marrakech, le 13 août 1902

[...]

... Dans nos lettres de l'année écoulée, je vous ai à plusieurs reprises entretenu de la conduite vexatoire que tient le pacha de la *kasbah*[103] envers la classe pauvre de nos coreligionnaires ; la classe aisée se tirant la plupart des fois, par des cadeaux d'une mauvaise situation. Il nous fallait de toute nécessité et par n'importe quels moyens rendre le gouverneur un peu plus équitable à l'égard de nos coreligionnaires. Dans ce pays le nom seul d'Européen, de protégé de quelque grande puissance impose déjà du respect à l'indigène. Cela suffit peut-être pour garantir la sécurité d'un étranger à Marrakech ; mais notre titre de professeurs de l'Alliance nous imposait une plus humaine tâche, garantir la sécurité de la grande majorité de nos coreligionnaires qui ne trouvent aucune grâce devant le pacha. La justice de ce dernier est plus qu'arbitraire. Tout litige soumis au jugement du pacha ne trouve de solution que moyennant « récompense » ; une affaire louche appuyée par un beau cadeau est toujours réglée en faveur de celui qui se montre le plus généreux. La place de gouverneur est ici achetée à beaux deniers comptants, c'est une entreprise commerciale, il faut qu'elle fasse vivre son titulaire. L'exemple vient de haut : le *cheik* du *mellah*, comme le *pacha*, use pour vivre des mêmes procédés. Malheur à un pauvre diable qui tomberait entre les mains du gouverneur : la prison ou la bastonnade s'il ne peut rien mettre aux pieds de son maître...

Les notables à plusieurs reprises s'en sont émus et m'ont prié de faire quelque chose en faveur de mes coreligionnaires. Je me sentais impuissant n'en ayant aucun mandat. Quelques notables à mon insu ont menacé le gouverneur des « foudres du directeur de l'école de l'Alliance » s'il ne se montrait plus humain ; le *pacha* leur a répondu que le directeur devrait s'occuper de ses affaires comme lui des siennes. N'ayant ici la ressource des consuls pour réclamer leur appui et les démarches du Comité central auprès de M. le ministre de France à Tanger n'ayant pas abouti, vous avez cru utile de vous adresser au gouvernement chériffien pour nous appuyer auprès des autorités locales. Vous avez écrit à ce sujet au ministre du sultan à Tanger et votre requête a produit son effet...

[...]

M. Lévy

(Archives de l'A.I.U., France, XIV, F, 25)

Lorsque la rébellion faisait rage, comme dans le nord du Maroc en 1903, l'instituteur de l'Alliance restait souvent le seul recours pour les Juifs. Comme le montre l'éloquent rapport ci-dessous, le comité central ne manquait pas de rappeler aux instituteurs de se tenir prêts en cas de guerre ou de catastrophe à apporter une aide concrète à la population juive :

Tétouan, le 11 mai 1903

[...]

Les événements se précipitent ; hier matin dimanche soixante familles sont parties ; il a fallu les faire accompagner par cent soldats jusqu'à la plage pour leur ouvrir un chemin à travers les ennemis... Vers le soir un bateau de guerre anglais est venu chercher le consul et les sujets britanniques ; ils partent en ce moment au grand désespoir de ceux qui restent et qui sont exposés aux plus atroces tortures.

Pour moi, je n'ai plus rien à faire ici ; les écoles sont vides, les notables de la communauté sont partis ; pour qui me dévouerai-je donc ! Il s'agit de sauver la vie de ma femme et de ma fille qui s'obstinent à ne pas partir seules. Nous partons donc tous demain matin... Nous restons à Gibraltar jusqu'à nouvel ordre. De là je vous télégraphierai.

[...]

Le 12 mai 1903

J'ai l'honneur de vous confirmer ma lettre d'hier et ma dépêche télégraphique de ce matin ainsi conçue :

« Impossible partir combats sanglants portes ville, grande panique, situation désespérée. »

Le 13 mai 1903

[...]

... L'agent consulaire de France a reçu... des instructions concernant le personnel de l'Alliance de la part de la légation de Tanger. On lui dit à peu près ceci, « quoique les professeurs de l'Alliance ne jouissent pas de la protection française il serait utile de leur venir en aide dans ces circonstances. Vous les ferez partir aussitôt que possible et vous leur faciliterez l'embarquement... » M. l'agent m'a donc demandé si je tenais à partir, je lui répondis : « Non, puisque vous restez. Plus tard, nous verrons. »

Le 25 mai 1903

[...]

... Tanger est au bord de la mer en communication constante avec l'Europe et à deux heures de Gibraltar d'où les secours peuvent arriver à la première alerte. Une garnison importante défend la ville d'ailleurs ; il n'en est pas de même de Tétouan qui est à huit kilomètres de la mer et dont la rade ouverte à tous les vents n'est visitée que tous les quinze jours par un bateau français. Et puis l'Europe n'a pas de grands intérêts à Tétouan, la ville peut-être ruinée, les habitants massacrés, que cela ne peut émouvoir en aucune façon les Puissances ; les Européens que nous avions ici ont depuis longtemps abandonné Tétouan ; les Juifs protégés, les familles aisées sont en lieu sûr ; il n'y a que les Arabes et les Israélites pauvres qui restent ; pour ceux-ci aucune compassion, aucune intervention favorable ne peut se produire...

... Notre existence est devenue intolérable ; personne avec qui dire deux mots ; les promenades nous sont interdites, nous étouffons dans le mellah, ayant constamment devant nos yeux le spectacle lamentable de la plus noire misère, la vue de ces milliers d'indigents ayant faim et ne trouvant plus à qui adresser leurs plaintes et la perspective de tomber un de ces jours entre les mains des sauvages montagnards qui sont impatients de se saisir de leur proie.

[Le siège fut finalement levé et la vie put reprendre son cours normal à Tétouan].

E. CARMONA

(Archives de l'A.I.U., Maroc, I, C, 1-2)

Paris, mai 1903

[à M. Carmona]

... Malgré la gravité des incidents et les souffrances que vous endurez, nous estimons plus que jamais que votre devoir est de rester à Tétouan, au milieu de vos coreligionnaires. « Je n'ai rien à faire ici » écrivez-vous, « les notables de la Communauté sont partis ; pour qui me dévouerai-je donc ? » Si les notables sont partis, il reste les pauvres, et c'est ceux-là que vous devez soutenir, encourager, et réconforter. Nous considérons la fuite de M. Fal-

con[104] comme une désertion et comme le plus grave manquement à l'honneur professionnel.
[...]

J. Bigart

(Archives de l'A.I.U., Maroc, I, C, 1-2)

Telle était l'attitude systématiquement adoptée par la direction de l'Alliance qui estimait que les instituteurs devaient rester à leur poste en cas de danger afin de porter secours à la communauté juive.

Ce rôle de protecteur des Juifs dans un pays comme le Maroc avant l'établissement du protectorat est bien mis en lumière par A. Saguès, directeur de l'école de Casablanca :

Casablanca, le 28 novembre 1909

[...]

Rapport de la Communauté avec l'école

Si divisés qu'ils soient entre eux, nos coreligionnaires ont toujours été unanimes à reconnaître l'utilité de la présence à Casablanca, d'un représentant de l'Alliance israélite, défenseur qualifié et officiel de leurs intérêts légitimes ; la confiance qu'ils ont placée en lui quel qu'il fût a toujours été pleinement justifiée par les fréquentes interventions auprès des pouvoirs publics.

Comme dans tous les pays arriérés où les Israélites sont plutôt tolérés que reconnus, le directeur de l'école de l'Alliance assume dans tout le Maroc, une tâche aussi ardue que généreuse ; son rôle n'est pas exclusivement pédagogique. Il est l'interprète auprès des autorités locales et consulaires des doléances des Israélites. Il est le seul qui, par sa situation indépendante et désintéressée, par le prestige dont l'investissent ses fonctions, soit en état d'améliorer la situation de nos coreligionnaires ; il représente le droit méconnu et, si sourd qu'on soit à la voix de la justice, celle-ci parvient toujours à se faire entendre et obtenir satisfaction...

Les événements de Casablanca sont trop présents à nos mémoires pour qu'il soit nécessaire d'en faire un récit détaillé. Si l'émigration de nos coreligionnaires à l'époque des troubles de 1907 a été possible, si l'entretien de ceux qui ont préféré rester sur place a pu être assuré, les Juifs doivent en être redevables, tout d'abord, à l'Alliance qui, avec une sollicitude franchement maternelle a envoyé tous les secours pécuniaires qui lui étaient demandés, mais aussi la part de mérite qui revient à M. Pisa est bien grande. Mon prédécesseur a fait, dans ces critiques circonstances, preuve d'un profond dévouement à nos coreligionnaires, de beaucoup de courage et de sang-froid. Sans m'ériger en dispensateur de palmes ou de lauriers, je devais à la vérité, de faire ces constatations.

C'est encore uniquement à la protection que leur accorde l'Alliance, à l'appui qu'elle leur prête directement ou par l'intermédiaire de ses représentants à Casablanca, à ses multiples interventions auprès du ministère français, que les Israélites doivent, dans la question des indemnités à allouer aux victimes des événements de 1907, de jouir d'un traitement égal sinon supérieur à celui qui est accordé aux ressortissants des puissances étrangères... Indépendemment des bienfaits de l'instruction, l'Alliance a donc assuré aux Israélites de Casablanca le bien-être matériel.
[...]

                                                                A. Saguès
(Archives de l'A.I.U., France, XIV, F, 25)

En Iran également, cette mission de protection revêtait une importance toute particulière :

                                                    Chiraz, le 3 août 1910
[...]
Œuvre de protection
... Livrés d'une part à la rapacité proverbiable des autorités persanes, et d'autre part à l'implacable fanatisme religieux des prêtres chiïs, les israélites ne pouvaient attendre de salut que de leurs généreux frères d'Occident qui ont entrepris la providentielle tâche de secourir, partout où cela est possible, ceux qui souffrent pour leur qualité de Juif. Leur espoir n'a point été déçu. Malgré les vicissitudes diverses, malgré quelques erreurs de début, erreurs et vicissitudes diverses dont ne pouvait être exempte une entreprise aussi hardie, aussi hérissée d'obstacles et de difficultés, vous avez obtenu en quelques années des résultats admirables, encourageants à tous égards.

Dans mon rapport de fin d'année passée, je vous écrivais, à propos de la situation des Israélites de Chiraz, ceci qui peut aussi bien s'appliquer à toutes les communautés de la Perse que vous avez dotées d'écoles :

« Cet odieux régime d'intolérance et d'oppression s'est fort no-

tablement adouci depuis le jour où vous avez fondé ici des écoles. Usant d'un prestige et d'une influence que seules l'ignorance et la veulerie des autorités locales permettent d'expliquer, vos directeurs ont pu parvenir à mettre un frein à la malveillance farouche des uns et à la rapacité insatiable des autres. Nos communautés ont heureusement bénéficié du respect et de la considération dont nous jouissons aux yeux du monde persan. Vos représentants, que l'on désigne sous le titre de *"Reïss Yahoudah"* (chefs des Juifs) sont considérés comme les agents d'une puissance que l'on s'imagine d'autant plus redoutable qu'on en ignore exactement la nature. C'est là un heureux mirage que vos directeurs ont su très habilement exploiter pour le plus grand bien de leurs protégés qui ont vu ainsi leur existence devenir incomparablement plus supportable. » Et le bonheur étant une chose toute relative et faite de contrastes, on peut affirmer que vous avez procuré à la plupart des communautés de la Perse une somme de bien-être moral qu'elles n'avaient jamais soupçonné auparavant. Mieux encore, votre action régénératrice jointe au nouvel esprit libéral qui anime aujourd'hui le gouvernement leur permet d'espérer un avenir meilleur que le présent, d'entrevoir enfin la perspective réconfortante d'une émancipation complète, la légitime revanche du calvaire qu'à été leur existence jusqu'à ce jour.
[...]

                                                                    E. NATAF

(Archives de l'A.I.U., France, XII, F, 22)

En revanche, cette tâche de protection était moins vitale dans d'autres régions, comme les provinces turques de l'Empire ottoman : en effet, la plupart des communautés juives y étaient regroupées dans les grands centres urbains où la sécurité des biens et des personnes était assurée et où le gouvernement se montrait dans l'ensemble favorablement disposé à leur égard. Dans les provinces plus éloignées, où les Juifs étaient fréquemment en butte à des vexations, l'instituteur servait souvent de canal à leurs doléances auprès des autorités concernées, soit au niveau local, soit à Constantinople.

II

Patriotisme et promotion des Juifs

Avec la consolidation du colonialisme français en Afrique du Nord grâce à la proclamation du protectorat sur le Maroc en 1912 et l'amélioration des conditions de sécurité qui en résulta, le rôle de l'instituteur se modifia : de protecteur des Juifs, il devint le champion de leur promotion et de leur émancipation. Les nouveaux objectifs de l'Alliance et de ses représentants au Maghreb concernèrent désormais le statut juridique et politique des Juifs.

En Algérie, le décret Crémieux avait réglé la question dès 1870, en octroyant à tous les Juifs la nationalité française. Cependant, l'apparition d'un fort mouvement antisémite parmi les colons français en Algérie et le fait que la Tunisie et le Maroc n'avaient pas été formellement annexés à la France, mais se trouvaient sous protectorat, dissuadèrent les autorités françaises d'étendre aux Juifs de ces deux pays le bénéfice de ce décret. D'un point de vue juridique, ils étaient considérés comme des « indigènes » et, à ce titre, justiciables des tribunaux locaux, au grand regret de l'Alliance et de ses instituteurs. Si, individuellement, les Juifs pouvaient obtenir la nationalité française − encore que les conditions requises fussent plutôt rigoureuses − une naturalisation en masse restait hors de question. Pire, avec l'abolition du système des capitulations, d'abord en Tunisie en 1897, puis au Maroc après l'instauration du protectorat en 1912, des milliers de protégés juifs retournèrent au statut d'« indigène ».

L'Alliance fit de son mieux pour remédier à cette situation, en s'efforçant qu'au moins les Juifs ne soient plus justiciables des tribunaux indigènes régis par le droit musulman[105]. De leur côté, les instituteurs, et plus particulièrement Y.D. Sémach, inspecteur des écoles de l'Alliance au Maroc à partir de 1924 et chargé par l'organisation des relations avec les autorités du Protectorat, allèrent beaucoup plus loin et lancèrent une campagne en faveur d'une rapide et massive naturalisation des Juifs[106].

Rabat, le 31 janvier 1931

[...]

Monsieur le Résident général m'a fait l'honneur de m'accorder une audience ce matin. Je lui ai exposé à nouveau la question de la naturalisation des Israélites marocains et lui ai remis une note dont ci-joint copie.

M. Le Résident m'a dit qu'il connaissait bien les Israélites nord-africains ; il voit à l'œuvre ceux du Maroc et il estime que déjà beaucoup d'entre eux, très peu de la mentalité française, mériteraient d'être naturalisés. Mais ce n'était pas l'avis du ministère des Affaires étrangères.

Le Comité central de l'Alliance, lui ai-je répondu, sait qu'il peut compter sur votre bienveillance et sur votre sentiment élevé de la justice. Il voit dans cette question, au-dessus de l'intérêt particulier, un intérêt purement national. Ces Israélites évolués, viendraient renforcer dans le pays l'élément sur les masses indigènes. Il se rendait compte que les difficultés pouvaient être d'ordre diplomatique, aussi son président, M. Sylvain Lévi, avait fait une démarche auprès de M. Berthelot et j'avais été autorisé, lors de mon dernier voyage à Paris en novembre, d'entretenir M. de Saint Quentin du but que nous poursuivions.

[...]

Note présentée à Monsieur le Haut Commissaire Résident général de France au Maroc.

Le Comité central de l'Alliance israélite s'intéresse vivement à la question de la naturalisation des Israélites marocains. C'est dans ses traditions. En travaillant à l'émancipation des Israélites, elle entend servir la France et lui préparer pour l'avenir des citoyens dévoués qui l'aideraient à maintenir dans ce pays la prépondérance française.

Il n'est nullement question de demander une naturalisation en masse, ni même par groupes, mais il semble que rien ne puisse s'opposer à l'examen de ces particuliers.

Déjà certains Israélites complètement évolués, ont adopté le français comme la langue de la famille ; ils vivent de la vie française et ont voué leurs efforts au triomphe de l'influence française. — Ils sont libres, ils vivent en sécurité, ils sont satisfaits de leur situation matérielle, mais une ambition les anime : mettre d'accord leurs sentiments avec leur nationalité. Ils n'ont en vue aucun avantage, ils demandent plutôt à assumer des devoirs et le premier de tous, le service militaire.

MM. les Contrôleurs civils, MM. les Chefs des services municipaux qui les connaissent et les voient à l'œuvre les estiment dignes d'entrer dans la famille française. Ils aiment la France. Comment ne l'aimeraient-ils pas ? Ils lui doivent tout : liberté, considération, aisance. Ils savent qu'ils ne peuvent rien attendre... : mais devant le refus opposé à leur demande de naturalisation, ils sont désappointés. Ne se pourrait-il pas que sans songer à mal, exprimant leur déception, ils disent dans certains milieux hostiles : « Nous avons tout fait, on nous repousse. » Nous sommes là quelques Israélites français qui mesurons le danger, qui voulons aider l'Administration et qui vous prions, Monsieur le Résident général de faire droit à certaines demandes, de favoriser quelques personnalités marquantes afin que dans les milieux israélites il soit dit que la France sait reconnaître et récompenser les services rendus. La législation permet, dans certains cas, d'accorder la nationalité française au dévouement et au mérite.

La question du statut politique des Juifs resterait entière, elle serait résolue lorsque les circonstances le permettraient.
[...]

Y.D. Sémach

(Archives de l'A.I.U., Maroc, I, C, 1-2)

Les arguments développés par Sémach se retrouvent dans la correspondance de ses collègues en poste en Tunisie :

Tunis, le 15 janvier 1917
[...]

Situation des Israélites avant l'établissement du protectorat

Comme dans tous les pays musulmans, ils étaient tolérés, mais ne jouissaient d'aucun droit politique... Aucune entrave n'était mise à

leur activité économique, aussi avaient-ils à Tunis tout le commerce
entre leurs mains... En somme, ils savaient s'entendre avec leurs
gouvernants et leur situation surtout celle de la bourgeoisie, n'était
nullement insupportable. Le seul point noir, c'était la justice qui,
organisée sur des bases religieuses et d'une vénalité notoire, ne leur
offrait pas les garanties voulues. Mais là encore les Israélites surent
se tirer d'affaire en sollicitant la protection des consuls étrangers.
Grâce aux capitulations, ces derniers pouvaient, sous certaines
conditions, accorder des patentes de protection à tous les sujets du
Bey, qu'ils fussent arabes ou israélites... Mais c'est surtout vers le
représentant de la France que se tournaient de préférence les
Israélites en quête d'une protection européenne. Aussi au moment
de l'occupation, en 1881, le nombre des Israélites protégés français
était-il assez considérable. Tous les gros négociants, les propriétaires, ceux qui avaient à défendre les intérêts importants contre la
rapacité des *caïds* et de leurs employés, surent donc se mettre à l'abri
de tout excès en acquérant la protection consulaire...

C'est alors que se produisait le grand événement, l'établissement
du Protectorat sur la Tunisie. Les Israélites saluèrent avec enthousiasme l'arrivée des soldats français qui devaient les libérer de leur
long esclavage ; une ère nouvelle se levait pour eux, ère de tranquillité, de justice et de liberté autorisant l'espoir de leur émancipation
morale et politique. Qu'est-il advenu de tous ces rêves ? C'est ce que
nous allons voir...

Pendant les premières années les Israélites et Tunisiens ne deman-
dèrent absolument rien ; ils se contentèrent de profiter de l'ordre et
de la sécurité qui régnaient dans le pays sous le nouveau régime et
qui faciliteraient grandement leur activité économique... Jusqu'en
1897, c'est-à-dire pendant les seize premières années il ne fut rien
changé au régime appliqué aux Israélites ; ceux qui ne jouissaient pas
d'une patente de protection restèrent justiciables des tribunaux
arabes, maintenus par la France tels qu'ils existaient avant l'occupation...

En 1897 sont venus à échéance les anciens traités que le Bey avait
passés avec les puissances européennes... Mais au moment du
renouvellement des dits traités, la France obtint des puissances
étrangères qu'elles renonçassent aux prérogatives résultant des anciennes capitulations...

Indispensable pour le développement normal du Protectorat,

cette mesure... causa néanmoins un grand préjudice à la population juive car à elle seule elle formait les neuf dixièmes des bénéficiaires tunisiens des patentes consulaires.

... On priva brutalement de la protection française 2 à 3 000 protégés israélites représentant 10 à 15 000 personnes que l'on jeta en pâture aux tribunaux indigènes...

C'est à la suite de la suppression des patentes et surtout de la radiation de 2 à 300 protégés, acte aussi arbitraire qu'inutile, que naquit dans toute son acuité la question juive en Tunisie. Nos coreligionnaires n'eurent pas de peine à constater que les conditions nouvelles dans lesquelles ils se trouvaient constituaient pour eux un recul sur l'état de choses antérieur au Protectorat... La nouvelle génération surtout qui en recevant une éducation française dans les écoles de l'Alliance israélite et dans celles du gouvernement s'était initiée aux idées de justice et de liberté, fut révoltée à la pensée d'être traitée comme une race de parias. Elle commença à faire entendre ses revendications, des cercles se créèrent où l'on discuta la situation ; des journaux israélites se fondèrent qui saisirent l'opinion publique de leurs doléances...

Donc, en exigeant que les juges fussent musulmans et professeurs ou diplômés de la Grande Mosquée, le Gouvernement déclarait formellement que l'*ouzara*[107] conserverait son caractère religieux caractère dont se plaignaient avec raison les Israélites... Or, les juges formés à la Grande Mosquée sont dominés par l'enseignement coranique qu'ils y ont reçu et, de ce fait, ne peuvent inspirer aucune confiance aux justiciables d'une autre confession.

CONCLUSION

Contrariés dans leurs aspirations les plus légitimes, enfermés dans les limites étroites d'une législation moyenâgeuse, eux qui se sont si facilement ouverts aux mœurs et aux idées modernes, exclus des fonctions publiques, de l'administration et de la magistrature, les Juifs tunisiens ont raison de se dire les victimes du Protectorat. Les Arabes qui en 1881 avaient vu la rage au cœur, l'établissement du nouveau régime, le bénissent aujourd'hui parce que la France — et ce sera sa gloire immortelle — a su se les attirer par une sollicitude qui ne s'est jamais démentie. Les Israélites qui, eux, avaient salué avec enthousiasme l'institution du Protectorat, mesurent aujourd'hui le chemin parcouru depuis trente-cinq ans ; ils trouvent que sur certaines questions, ils en sont encore au point de départ, que sur d'autres il y a eu régression et cela parce que la France trop occupée à complaire aux Arabes, a non seulement négligé les Israélites, mais encore les a souvent sacrifiés pour s'attacher davantage les premiers.

[...]

C. OUZIEL

(Archives de l'A.I.U., Tunisie, II, C, 5)

Sfax, le 18 février 1932

J'ai l'honneur de vous adresser le rapport ci-après sur la situation des Juifs tunisiens.

Voici un petit fait divers qui vous en dira long sur la situation juridique de nos coreligionnaires malgré cinquante ans d'occupation française...

On reconnut leur innocence ; mais pourquoi les avait-on si longtemps gardés emprisonnés ? Parce que ce sont des Juifs tunisiens, des sujets du Bey et comme tels, relèvent de la juridiction indigène toujours trop lente à instruire une affaire...

La jeune Esther Cohen de Sfax, fille d'un rabbin — et quel rabbin orthodoxe ! — s'éprit d'un musulman. Bourrée de cette littérature facile où l'on vante le charme et le mystère des harems, elle ne pouvait finir autrement. Bref, elle prit la fuite avec son ami et se présenta devant le *cadi* de Tunis à qui elle demanda d'embrasser la religion de Mahomet. Ce qui lui fut accordé sur-le-champ malgré les vives protestations de sa mère, de ses sœurs, de toute la communauté juive de Sfax, car elle agissait sans discernement, étant mineure. — Elle est mineure, voici des preuves clamait la mère, il y a quelques mois elle s'est présentée aux examens du brevet élémentaire. Deux notaires israélites, deux notaires assermentés, nommés par décret baylical, après enquête dressèrent l'acte : le voici.

— Votre papier n'est pas valable, réplique le *cadi*, parce que établi sur la foi des témoins juifs. Devant notre juridiction le témoignage d'un non-musulman n'a aucune valeur. Au surplus, votre fille est majeure. Voici ce qui le prouve.

Et le *cadi* d'exhiber un acte dressé par deux notaires arabes sur la foi de deux musulmans qui juraient avoir assisté à la naissance d'Esther fille du rabbin Cohen voici quelque vingt ans.

Et la mère de se venger par cette réponse : — Vous êtes trop naïf ou trop intelligent, ô *cadi*, pour croire que lors de mes couches j'ai permis à deux musulmans de pénétrer dans ma chambre.

Une question se pose : si la mère d'Esther Cohen était française, en possession d'un acte de témoignage dressé au greffe de la justice de paix française, comme c'est l'usage ici, le *cadi* aurait-il osé dire que le juge de paix mentait et que seul son acte à lui, dressé par la foi de deux musulmans, était l'expression de la pure vérité ? Je ne le crois pas.

Beaucoup de monde, dans cette affaire de conversion de mineurs a été péniblement impressionné par la neutralité gardée par les autorités françaises.

Dès qu'on devient Français on échappe à la Justice indigène. Mais il n'est pas donné à tout le monde de se faire naturaliser. La masse juive ne peut bénéficier de la loi Morinaud de 1923[108] puisqu'elle ne peut satisfaire aux conditions exigées. Peut-on prétendre faire obtenir à tous nos élèves le baccalauréat ou un quelconque diplôme de l'enseignement secondaire ? Peut-on exiger de tous les Juifs tunisiens qu'ils soient au service d'une maison française au moins dix ans ?

Au début de la promulgation de la loi Morinaud il y eut un tel enthousiasme que des centaines de demandes furent déposées dans les bureaux des Contrôles. Mais on appliqua si mal la loi, dans un esprit si étroit, que la majorité des demandes fut rejetée, ajournée *sine die* et maintenant c'est au compte-goutte que l'on accorde la nationalité française aux Juifs tunisiens — à peine à quatre ou cinq familles par mois dans toute la Tunisie. Veut-on ménager la susceptibilité des Arabes et du Bey ? Ou bien les fonctionnaires chargés d'instruire les demandes sont animés d'une certaine animosité. [...]

V. DANON

(Archives de l'A.I.U., Tunisie, I, C, 1)

Néanmoins, malgré une intense activité, ni l'Alliance ni ses représentants ne réussirent à modifier fondamentalement la situation. La loi Morinaud de 1923 facilita l'accès à la nationalité française d'un petit nombre de Juifs tunisiens formant l'élite, mais ne changea rien pour la masse de la population juive. Si les aspirations des Juifs se tournaient de plus en plus vers la France, leur statut juridique resta, dans l'ensemble, celui d'« indigènes ».

Ce décalage soulevait rarement des problèmes de conscience chez les enseignants de l'Alliance, la plupart étant eux-mêmes devenus français au Maghreb. Malgré l'antisémitisme virulent des colons français, ils conservaient une foi pleine et entière dans la France, persuadés que les principes de justice incarnés par 1789 finiraient par triompher. S'ils avaient des reproches à formuler, c'était en général à l'encontre des colons français et de l'administration coloniale ; pour le reste, ils avaient tendance à projeter sur la France métropolitaine toutes les vertus dont ils s'étaient nourris au cours de leurs études.

Ceux qui étaient en poste dans les territoires sous administration française, directe ou indirecte, en Afrique du Nord par exemple, étaient intimement convaincus que le sort des Juifs y étaient indissolublement lié à celui de la France : il s'agissait donc pour eux d'aider les Juifs à s'acculturer, à s'assimiler et à s'intégrer dans la « famille française ». La diffusion de la culture française grâce aux écoles de l'Alliance leur semblait la meilleure façon d'accélérer ce processus.

Le zèle militant avec lequel les enseignants qui exerçaient dans l'empire colonial français encourageaient l'assimilation politique et culturelle des Juifs à la France était totalement absent des autres régions où l'Alliance entretenait des écoles. Certes, il est indéniable que le corps enseignant dans son ensemble était francophile et se sentait proche de la France. Cependant, l'idéologie prônée par l'Alliance était une idéologie d'émancipation. Les Juifs devaient obtenir l'émancipation, et s'intégrer dans les pays où ils vivaient afin de remplir tous leurs devoirs de citoyens. Le comité central ainsi que les enseignants étaient persuadés que la présence française en Afrique du Nord serait permanente et irrévocable. Malgré des différences manifestes entre l'administration française en Algérie et dans les pays de protectorat, ils ne doutaient pas que la France était là à jamais et que, tôt ou tard, le destin des Juifs rejoindrait celui de leurs « libérateurs ». Puisque ces territoires étaient désormais français, l'idéologie de l'émancipation exigeait l'intégration à la France et non l'identification aux musulmans du pays qui, eux-mêmes, lorsqu'ils seraient suffisamment « évolués », pourraient un jour devenir français.

La situation était fort différente au Levant, notamment dans l'Empire ottoman et dans les États qui lui succédèrent. Ces pays étaient restés hors de l'administration française ou n'y étaient entrés que tardivement, comme dans le cas de la Syrie et du Liban. Là, l'objectif de l'Alliance était de faire des Juifs des citoyens égaux en droit et dignes de leurs pays respectifs, tout comme leurs frères d'Europe occidentale. Et lorsque de nouveaux États voyaient le jour par suite de l'affaiblissement et du recul de la puissance ottomane, les Juifs devaient continuer à travailler à leur intégration en s'adaptant aux réalités nouvelles.

Au Levant, l'Alliance s'efforça du mieux qu'elle put de garder ses distances vis-à-vis des intérêts français. Jusqu'à la Première Guerre mondiale, la collaboration entre les représentants consulaires français et les enseignants y fut beaucoup moins étroite qu'en Afrique du Nord. D'ailleurs, comme nous l'avons déjà mentionné, seule l'École normale israélite orientale était un établissement français officiellement reconnu. Organisation internationale, l'Alliance proprement dite ne bénéficiait d'aucune protection officielle.

C'est pourquoi on ne retrouve pas dans la correspondance des instituteurs en poste au Levant une aussi forte identification à la France. Dans l'ensemble, les Juifs entretenaient de bonnes relations avec les autorités turques et avaient plus à craindre de l'éveil des nombreuses nationalités que comptait l'Empire.

Avec la désintégration de l'Empire ottoman sous la pression des événements, l'attitude des enseignants envers les Turcs battant en retraite après des siècles de domination dans la région se teinte de regrets, comme l'indique ces deux lettres écrites de Salonique au moment de sa conquête par les Grecs en 1912, lors de la guerre des Balkans :

Salonique, le 12 novembre 1912

[...]

C'en est fait. Depuis samedi matin nous sommes sous la domination grecque. Les journaux d'Europe vous ont rapporté les phases de

la longue agonie qui a abouti à la reddition de la ville. Je n'entre-
prendrai point de vous la retracer, je veux seulement vous dire
quelques incidents survenus ces jours-ci et qui sont inquiétants pour
les Israélites de Macédoine et de Thrace.

Le Turc n'a pas encore abandonné complètement la place que
déjà l'antisémitisme s'installe parmi nous. Il n'a guère tardé puisque
la première escarmouche a eu lieu au moment même où l'avant-
garde des troupes grecques pénétrait en ville.

Il faut vous dire que l'Israélite fort attristé n'a guère le cœur aux
fêtes. Il a adopté l'attitude correcte et digne qui convient au vaincu.
Il se soumet au sort des armes mais il ne saurait accueillir avec
enthousiasme le vainqueur qui piétine en son cœur ses affections les
plus chères. C'est en perdant ce que l'on possède qu'on l'apprécie à
sa juste valeur, et les Israélites qui n'avaient jamais méconnu les
rares qualités de tolérance et de bienveillance du peuple turc sentent
bien aujourd'hui qu'ils viennent de perdre en cette terrible tour-
mente leur plus sûr et leur plus ferme appui. Des hommes du peuple
m'ont dit les larmes aux yeux qu'ils ne peuvent pas se faire à l'idée de
la ruine de la patrie ottomane. Et moi-même, malgré toutes les
tracasseries de l'administration turque, j'éprouve un serrement de
cœur quand je vois nos pauvres soldats errer dans nos rues sans
armes, tout désemparés, en quête d'un gîte et d'un morceau de pain !
Les Grecs ont envahi nos casernes et nos soldats sont dans la rue !

Les Israélites ont donc assisté en indifférents à la réception
enthousiaste que nos compatriotes grecs ont fait à leurs frères de
l'Hellade. Les Grecs avaient beaucoup souffert à l'intérieur de la
Macédoine, ils saluaient avec transport les libérateurs, leur joie était
peut-être légitime ; mais fallait-il reprocher aux Juifs de ne pas
partager leur enthousiasme délirant ! Il s'est trouvé pourtant des
Grecs irréfléchis pour le faire et dans des termes dépourvus de
courtoisie. Alors que les troupes hellènes défilaient dans la place de
la Liberté, quelques membres du Club des Intimes, cercle israélite,
furent appréhendés par des gens de la rue, parce qu'ils ne poussaient
pas comme les Grecs de *zito* (vivat) frénétiques. Il est juste cependant d'ajouter que des Grecs de bon sens réprimandèrent sévère-
ment les braillards, reconnaissant la discrétion et le tact dont
faisaient preuve les Israélites qui avaient toujours vécu avec les
musulmans dans les meilleurs termes.

Le lendemain de cet incident, le journal grec *Embros* publiait divers articles pleins de malveillance pour les Israélites, véritable amas de calomnies odieuses, inspirées par la plus noire perfidie...

Aujourd'hui de graves nouvelles circulent en ville. Des meneurs de bas étage répandent contre certains petits marchands israélites l'odieuse accusation de vendre aux soldats hellènes du cognac empoisonné...

... Une longue et douloureuse expérience nous a appris que l'antisémitisme a toujours débuté ainsi, il affecte partout cette même forme qui souvent conduit aux massacres.

La situation nouvelle qui est créée aux Israélites de Macédoine est donc grosse de menaces ; elle ne laisse pas de nous inquiéter.
[...]

J. COHEN

(Archives de l'A.I.U., Grèce, I, C, 49)

Salonique, le 12 novembre 1912
[...]

Depuis l'arrivée des Grecs, un problème s'est posé aux Juifs. Nos concitoyens grecs, comme vous le comprendrez sans peine, jubilent. Ils ne se saluent plus que par les mots : *O christos anesti* (Le Christ a ressuscité). Ils tirent des coups de feu en signe de joie, entonnent en chœur, à tous les carrefours des chants de triomphe. Ils ont couvert tous les murs de leurs maisons de drapeaux aux couleurs grecques, blanc et bleu. Quand l'étoffe en a été épuisée, on a passé au papier, aux peintures, aux badigeons. C'est une débauche de bleu sur un blanc que la hâte des pavoisements ne permet pas de rendre immaculé. Et voici le problème qui nous a tracassé : fallait-il se mettre au diapason d'allégresse des Grecs ? Fallait-il pavoiser, dans les clubs, les magasins, les habitations en vue ? Sans doute, la question au sujet de la résurrection du Christ à annoncer ne s'est pas posée pour nous, sommes, vous le savez, de ces Juifs qui ont bravé l'inquisition ; ni celle de tirer des coups de feu : il y a beau temps que nous avons transformé nos engins de guerre en socs de charrue et nos socs de charrue en solides coffres forts de bonne marque. Mais restait à savoir s'il fallait pavoiser et crier *zytos* ! S'il fallait promener à travers les places des visages illuminés d'extatique contentement. Voilà ! C'est un mot d'ordre, qu'il fallait, une ligne politique. Il est entendu que nous, Juifs, nous ne faisons rien que par calcul et que par politique. Mais, voilà, on comptait sans le sentiment populaire. Tandis que nous, les augures, représentants des six clubs israélites de la ville et formant l'Interclub, nous discutions gravement et faisions longuement valoir les raisons historiques, sociologiques, économiques, patriotiques, philosophiques, mystiques et humanitaires, tandis que doctement nous ergotions et nous chamaillions, le bon populo, lui, avec un ensemble surprenant s'abstenait d'applaudir et d'acclamer. Il observait l'attitude la plus correcte et la plus digne. Pas d'hostilité, sans doute ; mais pas non plus de satisfaction...

Quelle sera la nouvelle situation qui sera créée à nos coreligionnaires par les événements que nous traversons ? On redoute les pires choses. On s'attend à des ruines irrémédiables et l'on parle d'exode en masse auquel on sera sous peu astreint tant par l'antisémitisme que par les nouvelles conditions économiques qui résulteront de la guerre.

Bakalum[109] comme disaient nos maîtres d'hier et ajoutons comme eux, toujours sages et confiants : *Allah kerim !*[110]

[...]

J. NEHAMA

(Archives de l'A.I.U., Grèce, I, C, 51)

Les instituteurs de l'Alliance, comme les Juifs autochtones, préféraient de loin la domination turque. De fait, sous les Grecs, la communauté salonicienne perdit son éclat, connut de graves difficultés économiques et fut confrontée à un violent antisémitisme.

Consciente qu'une page de l'histoire des Balkans va être définitivement tournée, la directrice de l'école des filles d'Andrinople donne libre cours à ses sentiments patriotiques envers la Turquie dans le journal qu'elle tient durant le siège de la ville en 1912 :

5 novembre

Décidément, la situation devient alarmante. Nous sommes paraît-t-il tout à fait bloqués. Je dis paraît-il, car nous nous perdons en conjectures. Aucune nouvelle certaine, aucune confirmée. Les dépêches les plus urgentes sont refusées par le Bureau télégraphique et depuis douze jours déjà, nous ne recevons plus ni lettres ni journaux. Un siège, mais c'est horrible quand c'est réel. C'est tout au plus bon à lire dans les gros bouquins d'histoire, mais un siège vécu avec la famille en perspective, la misère autour de vous, et la musique effrayante des canons et des mitrailleuses!

[...]

Mardi 26 novembre

Le bombardement toujours, je commence à voir mon énergie faiblir et mon enfant que j'allaite s'en ressent. Hier soir, grand incendie près de sultan Sélim. Qu'adviendra-t-il de nous? Je ne sais pourquoi je pense constamment à la catastrophe du *Titanic* et je frissonne: (Plus haut, plus haut, c'est le cri de ma foi!) Ma foi espère en la vie et j'ai peur de mourir. J'ai peur, c'est vrai. De quel égoïsme inconscient nous sommes animés en face du danger, alors que si près de nous la mort cruelle travaille avec une faux bien aiguisée...

Et notre pauvre pays, que va-t-il devenir devant tant d'ennemis réunis et l'Europe insensible! Et l'on a la prétention d'appeler ce vol de territoire, ce carnage avec engins parfaits, la civilisation du XXᵉ siècle. J'ai parcouru des volumes chantant avec enthousiasme les bienfaits des progrès actuels et je souris amèrement en y songeant. On veut déchirer notre pays en lambeaux comme une autre Pologne et l'Europe se tait et trouve cela juste car elle se dit tout bas: j'aurai aussi quelque chose.

A peine remise des luttes intestines crées par la Constitution, la Turquie trouve maille à partir avec l'Italie qui juge utile, je ne sais comment, de lui voler une province[111]. Elle se débat contre la population belliqueuse du Yémen, on lui crée des difficultés en Macédoine, et pour finir les ennemis envahissent son territoire de quatre côtés à la fois.

Les codes n'ont pas changé depuis le Grand Frédéric, ils respectent les moulins mais volent les provinces.

17 janvier 1913

[...]

... Le patriotisme pourrait trouver des moyens moins sanguinaires de se manifester. Le but d'une guerre peut être noble et généreux, mais la guerre elle-même est un appel à la violence; et la violence réveille dans le cœur de l'homme trop de sentiments cruels, trop d'instincts féroces. La bête humaine domptée par les lois, la religion, la morale reprend le dessus quand les haines de race se déchaînent librement.

Préoccupé de se sauver dans la défaite, l'homme oublie ses devoirs envers son prochain, et laisse se noyer un ami de vingt ans sans lui tendre une main secourable de peur d'être retardé dans sa fuite. Des soldats et des officiers nous ont raconté sans même l'ombre d'un remords, avoir ainsi abandonné des amis sur leur chemin sans leur tendre cette main secourable.

[...]

1er mars 1913

[...]

Sont-elles donc envolées la gloire et la fierté ottomanes? Et le fier Janissaire des Mahomet et des Soliman a-t-il pâli et péri devant le geste farouche des nations nouvelles. Parties, anéanties les illusions de nos soldats d'il y a six mois à peine. Je le vois toujours, vit-il encore, ce vieil officier un peu triste à la nouvelle fatale de la déclaration de la guerre, mais enthousiaste quand même, qui venait de payer ses dettes et nous disait avec une naïve fatuité : « J'irai faire ma barbe à Sofia. » Aujourd'hui, l'enthousiasme a fait place à un fort abattement et à la nonchalance naturelle aux Turcs. C'était écrit, ils sont résignés. Le soldat amaigri et malade fait peine à voir, dans son uniforme devenu trop ample et qu'il porte avec lassitude comme on porte une croix, fatigué et souffrant. Il pense à son lopin de terre, à sa maisonnette, à son bétail devenu maintenant la proie de l'ennemi, il songe à sa mère, à sa femme et à ses enfants et il se demande si la patrie qui n'a pas réservé des soins sérieux à ses blessures, à ses maladies, qui le nourrit mal, le réduit à mendier son pain et le charge de fatigue, mérite tant de durs sacrifices. Les hôpitaux sont remplis de malades, qui faute de soins et faute de médicaments, meurent par dizaines chaque jour. Le scorbut, les pneumonies, la faiblesse physiologique, la cholérine sévissent avec intensité.

Mercredi 26 mars

... Les soldats turcs ont opposé à l'ennemi une résistance étonnante, quand on connaît l'état de faiblesse et de dépérissement dans lequel ils se trouvaient. Ils ont versé leur sang pour la patrie, heureux peut-être de ne pas survivre à la douleur de se rendre.

Et maintenant hélas que le sacrifice est consommé, maintenant que tant de braves sont tombés sans préserver la Turquie d'une amputation douloureuse, la plaie restera longtemps saignante dans le cœur de tous les Ottomans.

Moi aussi je savais ce malheur inévitable, je savais qu'un jour ou l'autre, notre Andrinople si vaillamment disputé à l'ennemi serait fatalement sa proie, et pourtant devant le fait accompli, devant nos soldats désarmés, les soldats bulgares rieurs, triomphants, emplissant l'air de leur dure langue slave, j'ai senti comme un déchirement. Mon indignation a été à son comble devant la joie bruyante et cruelle des Grecs et des Bulgares accourus à la rencontre des vainqueurs. Il ne faut pas rire devant ceux qui pleurent et lorsque tant de cœurs ottomans saignent, il ne fallait pas montrer tant de joie. C'est paraît-il la loi de la guerre et dans la guerre on parle plus souvent de poudre que de cœur. Au moment où je vous écris, assise sur le perron de ma maison, devant moi dans un vaste champ une compagnie bulgare se prépare à camper le soir, ils causent bruyamment et chantent tous ensemble. Ils distribuent généreusement du sucre et du sel et demandent des fleurs dont ils ornent leurs képis. Notre printemps s'est dépouillé pour eux.

Dans la matinée d'hier, quelques soldats pris à l'ennemi nous avaient annoncé son entrée pour aujourd'hui. Nous avons ri de ce que nous prenions pour une fanfaronnade. Nous avons eu tort.

Il est naturel cependant que des hommes éclairés, remplis d'idées libérales et de patriotisme chauvin portassent dans la résistance, sinon plus de courage que les soldats de métier, mais tout au moins plus de résolution et d'initiative, un dévouement mieux réfléchi. C'est à cause de l'obscurantisme hamidien[112] que la Turquie succombe aujourd'hui. Elle a pu avoir des canons, elle n'a pas eu d'écoles, et c'est là le grand malheur. Puisse-t-elle puiser dans cette cruelle épreuve, une expérience utile pour l'avenir et mettre en pratique avec activité la jolie devise « Union et Progrès ».

Le travail seul régénère et rajeunit. C'était écrit ; voilà le poison des nations orientales et comme unique contrepoison, il n'y a que le progrès…

Je vois poindre à l'horizon un souci qui nous touche de très près. Ce matin quelques familles israélites ont vu leurs maisons pillées par des Grecs et des soldats bulgares, une douzaine de malfaiteurs ont été pris sur le fait et emprisonnés. Ce qu'il y a encore de décevant, c'est que seules des maisons israélites ont été pillées, non pas dans le seul but de voler, mais avec une pensée de haine et de vengeance. Les meubles que les pillards n'ont pu emporter, ils les ont détruits et mis en pièces.

La légende court, semée par les Grecs, que nous autres Israélites aurions soutenu la résistance des Ottomans de nos efforts et de notre argent, et que sans nous, Andrinople serait tombé depuis longtemps. Et quand cela serait, n'est-ce pas plutôt une joie pour les vainqueurs d'avoir conquis une population qui sait à l'heure du danger se montrer énergique et patriote?

Mais raisonne-t-on avec l'antisémitisme?

Cette page d'histoire s'achève sous de sombres présages. Sans doute, les Bulgares nous feront des villes jolies et des bâtiments magnifiques, ils nous donneront un avant-goût de l'Europe. Mais nous autres Israélites nous avons tout plein des arriérés de reconnaissance envers cette population ottomane, si éloignée du progrès c'est vrai, mais pourtant si humaine.

Qui sait en combien de jours de souffrance nous regretterons la main des Turcs si douce à la population israélite!

Mme A. GUÉRON

(Archives de l'A.I.U., Turquie, I, C, 1)

En dépit de ces débordements de patriotisme, les dirigeants et les enseignants de l'Alliance n'étaient apparemment pas conscients du paradoxe qu'il y avait à prêcher l'amour de la patrie et l'émancipation sur place, tout en dispensant une éducation fondamentalement française dans les écoles. Langue de la civilisation par excellence, le français représentait un élément-clé du processus de « régénération ». Ce principe restait indiscuté. Le français passait pour supérieur aux langues locales jugées inaptes à transmettre l'esprit de la « civilisation moderne ». En fait, jusqu'à la Seconde Guerre mondiale, les dirigeants et le personnel de l'Alliance restèrent fermement ancrés dans l'idée coloniale et impérialiste de la supériorité de la civilisation européenne sur toutes les autres. L'Alliance n'était absolument pas prête à affronter un monde d'États-nations indépendants en terre d'Islam.

III

La montée des nationalismes

Les nationalismes qui se déchaînèrent après la Première Guerre mondiale entrèrent en lutte ouverte avec l'Alliance. Constestées de l'intérieur par l'émergence du sionisme et de l'extérieur par un nationalisme anticolonialiste intransigeant, les écoles de l'Alliance auraient pu trouver un *modus vivendi* avec le premier, mais ne pouvaient survivre contre le second.

Sur le plan idéologique, les sionistes et l'Alliance professaient des vues diamétralement opposées. L'Alliance menait un combat passionné pour l'émancipation des Juifs où qu'ils vivent et considérait que son premier devoir était de les aider à obtenir l'égalité des droits avec leurs compatriotes partout dans le monde. De ce point de vue, elle partageait pleinement l'optimisme des Juifs occidentaux du milieu du XIXᵉ siècle. Considérant l'antisémitisme comme un retour au Moyen-Age, elle était intimement convaincue que les principes de l'émancipation finiraient par s'imposer et par triompher. Les sionistes, en revanche, estimaient que l'émancipation n'était qu'un leurre, qu'il était impossible de supprimer l'antisémitisme. L'assimilation ne pouvait conduire qu'à la disparition du peuple juif en tant qu'entité distincte. La solution au problème juif passait par la création d'un État dans la patrie ancestrale des Juifs et la renaissance d'une culture juive authentique fondée sur une langue hébraïque renouvelée et modernisée.

L'Alliance faisait l'objet de critiques incessantes de la part des sionistes qui lui reprochaient de négliger l'enseignement de l'hébreu. Les enseignants, de leur côté, ne manquaient pas d'arguments pour défendre leur point de vue, comme le montre ce texte de 1898, venant de Palestine :

                                                    Safed, juillet 1898

Le sionisme et la question pédagogique

[...]

Par le temps qui court, les intérêts de César sont personnifiés par le développement constant de la civilisation contemporaine ou mieux européenne. Or, quel moyen d'initier une population à cette civilisation que de lui en expliquer les éléments dans une langue européenne ?

Les races latines jouant un grand rôle dans cette civilisation, une des puissantes sociétés juives organisant en ce moment l'œuvre de l'enseignement en Palestine, a jugé à propos d'employer comme instrument une langue d'origine latine : le français.

Au fond, si les Sionistes de Palestine voulaient être sincères, ils reconnaîtraient aisément que la langue hébraïque instrument datant de 2000 ans devient hors d'usage pour l'assimilation, pour la compréhension de la civilisation moderne. Vous avez beau laïciser et enrichir la langue sacrée ; il est, je ne dis pas des finesses, mais des idées communes que le Verbe antique des prophètes ne saurait jamais rendre. Qui ne sait d'ailleurs que chaque langue ou mieux chaque groupe de langues a son génie ? Les idiomes d'origine latine ont le leur ; ceux dérivés du slave et ceux provenant du germain ont également chacun le leur. Cela est si vrai que malgré les meilleures traductions jamais un Français ne peut saisir la beauté d'un ouvrage de Shakespeare, de Goethe ou de Tolstoï pour ne citer que ces exemples...

Sionistes, mes amis, cultivez le néo-hébraïsme, créez-nous une nouvelle langue, écrivez des ouvrages hébraïques sur toutes les connaissances modernes, en un mot travaillez ! Mais, de grâce... ne compromettez l'avenir de personne, de pas un seul Juif ; ce serait impardonnable !

Il n'est pas inutile de dire en passant que les Israélites indigènes de la Terre-Sainte n'éprouvent guère de sympathie pour les Sionistes, gens généralement de libre pensée et laïcisant l'hébreu à outrance. De là le devoir pour l'instituteur travaillant en Palestine de conserver un certain cachet religieux à son enseignement.

J'ajouterai aussi que le jour où les pieux Juifs de Palestine reconnaîtront le surmenage auquel ils astreignent leurs enfants en les

obligeant à apprendre dans leurs *heder* routiniers, le Talmud —
c'est-à-dire les codes civil et criminel juifs — à partir de l'âge de
7 ans, le jour où ils comprendront combien cet enseignement est peu
pratique et qu'ils enverront vers les 8 ans au moins leur garçons dans
les écoles bien organisées, alors seulement on pourrait, peut-être
établir un *modus vivendi* entre sionistes et non-sionistes...

M. FRANCO

(Archives de l'A.I.U., Israël, II, C, 10)

Néanmoins, ces arguments ne satisfaisaient pas les sionistes.
Le réseau scolaire en souffrit considérablement, notamment
en Bulgarie où, dans la décennie précédant la Première
Guerre mondiale, toutes les écoles de l'Alliance, sauf une,
furent fermées par les communautés désormais dominées par
les sionistes[115]. Cette situation rendit l'Alliance extrêmement
prudente dans ses rapports avec ses rivaux : les instituteurs
étaient prompts à informer le comité central des activités des
sionistes dans leur communauté :

Salonique, le 19 mai 1916

[...]

... La Révolution ottomane éclatait. Les premières étreintes et les
premières joies passées, chacun s'aperçut que l'ottomanisme re-
dempteur, trait-d'union de toutes les races, centre de ralliement de
tous les habitants de l'Empire, était un leurre. Chaque population fit
librement, ouvertement, du nationalisme pour son compte particulier. Le sionisme, dès 1910, s'étala au grand jour.

Des sociétés multiples se fondèrent pour la propagation de la foi
nouvelle... Les membres... s'érigèrent en prophètes, vaticinèrent à
tous les coins de rue, discoururent dans toutes les synagogues et tous
les oratoires. Les Jeunes Turcs voulurent réfréner l'engouement de
ces néophytes. Avec leur maladresse coutumière, leur manque de
sens politique et la brutalité de leurs menaces, ils ne parvinrent qu'à
exaspérer les désirs et à aviver les espoirs des sionistes.

... Quand les Turcs s'en allèrent et que vinrent les Grecs, le
premier mouvement de la population israélite fut une répulsion pour
le nouveau dominateur...

Ce fut une période d'immense regain pour le sionisme. Ses
coryphées connurent la popularité la plus enivrante, ses institutions
fleurirent...

... En attendant, dans la presse, dans les milieux de la petite et de la moyenne bourgeoisie, les sionistes livraient une rude campagne à nos écoles, tentant de nous représenter comme les suppôts de la déjudaïsation et de l'impiété. Nous connûmes, vous le savez, de rudes moments... Nos écoles ne furent certes pas désertées, mais elles n'eurent plus aucune vogue : nous n'étions ni sionistes, ni allemands ; tout au contraire, nous représentions les idées de la Révolution française, nous faisions de l'enseignement français. Nous ne méritions que mépris et que haine. On ne se fit pas faute de nous le témoigner.

[...]

J. NEHAMA

(Archives de l'A.I.U, Grèce, I, G, 3)

Même cri d'alarme quelques années plus tôt, à Constantinople.

Constantinople, le 16 novembre 1910

Monsieur le Président,

Le sionisme gagne rapidement du terrain en Turquie. Si l'idée sioniste est, par le but qu'elle poursuit, essentiellement chimérique, en revanche, les sionistes sont dans leurs moyens singulièrement pratiques. Partout où ils veulent agir, ils choisissent un homme et créent un organe de propagande. De là leurs succès relatifs.

En Turquie, l'homme s'appelle Lucien Sciuto, et l'organe *L'Aurore*. L'homme et l'organe sont en train de transformer la population juive de l'Empire. Bientôt nous pourrons mesurer les ravages de l'idée sioniste, et l'on sera stupéfait des conséquences désastreuses qui en résulteront.

La jeunesse juive de Turquie n'est pas encore sioniste, loin de là. Elle manifeste même, dans sa grande généralité, de la répugnance à se jeter dans ce mouvement. Mais abandonnée à elle-même, privée de guide et de conseils, elle ne tardera pas — prenant le bruit pour du succès — à pencher du côté de ceux qui agissent et qui crient. Cette jeunesse, élevée dans nos écoles est encore hésitante. Elle attend une volonté qui ne se manifeste pas, un mot d'ordre qui n'arrive pas... Sciuto et Abramovitz vont de ville en ville, multiplient les conférences, organisent leurs milices sous le masque de sociétés de gymnastique, éblouissent la jeunesse par des manifestations tapageuses. *L'Aurore* fait le reste.

L'Alliance, elle, se confine dans son rôle éducateur. Elle répugne à agir directement. Elle attend tout de l'éducation et se fie trop au bon sens. Pendant que les autres agissent, elle attend, elle espère, et se contente d'espérer. Attaquée, calomniée, elle ne daigne pas se défendre, ni adopter la tactique de l'adversaire. C'est très beau. Mais avec une pareille tactique, on perd les batailles. Et la population juive de Turquie sera demain toute sioniste, comme l'est devenue celle de Bulgarie, par l'absence d'un homme et d'un organe.

L'heure est décisive. Tout peut encore être réparé, et notre jeunesse peut encore être aisément reprise. Il faut un homme et un organe, un homme pour agir, un organe pour retenir notre population sur la pente du nationalisme juif et la maintenir dans les bornes du judaïsme national. Autrement, il sera demain trop tard.

[...]

J. Loria

(Archives de l'A.I.U., Turquie, I, G, 1)

Constantinople, le 21 mars 1912

[...]

La communauté juive de Constantinople est menacée dans son existence. Une poignée d'hommes venus du dehors ont été assez hardis et assez heureux pour réussir jusqu'à présent à jeter le désarroi le plus complet au sein du judaïsme ottoman...

... M.M. les sionistes... ont choisi l'Empire ottoman comme champ de leurs exploits; et c'est à l'Alliance qu'ils en veulent, à l'Alliance qu'ils y ont trouvé installé bien avant eux et dont la position inébranlable, de l'avis de tous, a le don d'exaspérer les moins pondérés d'entre eux...

... Ils se sont décidés à remuer ciel et terre pour évincer l'Alliance des principaux centres juifs d'Orient; c'est donc à l'Alliance de parer les coups qu'on veut lui porter, et ce faisant elle consoliderait son œuvre tout en rendant aux Juifs le plus signalé peut-être des services...

[...]

E. Nathan

(Archives de l'A.I.U., Turquie, I, G, 1)

... et à Tunis :

                                        Tunis, novembre 1920
[...]
   Le sionisme continue encore à faire des progrès en Tunisie. Dans
toutes les villes importantes de la Régence, on trouve déjà un comité
sioniste. A Tunis même nous avons trois groupements sionistes
concurrents dont on cherche en ce moment à faire la fusion. Nous
possédons également à Tunis cinq journaux sionistes dont trois en
langue française et deux en judéo-arabe. Mais tout ce mouvement
me semble pour le moment superficiel. Il n'y a que quelques
militants convaincus et beaucoup d'arrivistes qui veulent se servir du
sionisme pour pousser leurs petites affaires. Le gros de la population
tout en s'intéressant à l'idée sioniste, n'a pas encore la foi qui agit.
Du reste, les notables restent entièrement en dehors des associations
sionistes et ce ne sont, pour la plupart, que des petites gens qui
constituent ces groupements.
[...]
                                            C. Ouziel
(Archives de l'A.I.U., France, VII, F, 14)

   Pour les enseignants, le sionisme était non seulement uto-
pique mais aussi dangereux, dans la mesure où il risquait de
compromettre tout ce qui avait été ou serait encore accompli
grâce à l'émancipation. Irréaliste, le projet sioniste ne pouvait
conduire qu'à un échec. Sur ce point, les enseignants étaient
en parfait accord avec Jacques Bigart, le secrétaire général :

                                      Paris, le 30 juillet 1919

[A l'Association des anciens élèves de l'Alliance, Sousse].

   Monsieur le Président,
   En réponse à votre lettre du 5 juillet, nous ne pouvons faire mieux
que de vous donner ci-inclus copie d'une délibération prise par le
Comité central de l'Alliance à la date du 16 avril.
   Ce document ne traite pas de la question sioniste proprement dite,
mais il indique déjà le point de vue de l'Alliance. Nous ne voulons

pas discuter les avantages et les inconvénients de la doctrine sioniste, mais, nous plaçant simplement sur le terrain des faits et des possibilités, nous avons le devoir d'appeler l'attention du judaïsme sur les conséquences que le mouvement sioniste peut entraîner pour les masses juives de l'Europe orientale :

La situation des Israélites de Pologne, de l'Ukraine, de la Lithuanie (l'ancienne Russie) est tellement précaire actuellement que des centaines de milliers de Juifs — nous pourrions dire des millions — aspirent à quitter leur pays et à émigrer le plus rapidement possible. Cette poussée n'a pas été provoquée uniquement par la politique antijuive des gouvernants russes et polonais : elle est jusqu'à certain point un effet des promesses que le sionisme a fait miroiter devant les imaginations juives. Or l'Amérique et l'Angleterre sont à peu près décidés à fermer pour un temps la porte à l'immigration étrangère. Les autres pays n'ont pas une capacité d'absorption appréciable. Reste à ces pauvres gens le mirage de la Palestine. Admettons que l'Angleterre, qui sera très probablement la puissance protectrice de la Palestine, réalise, dans une mesure que nous ne connaissons pas actuellement, la promesse du home national. Que va-t-il arriver ? Toutes ces masses juives qui aspirent à une vie tranquille, à l'abri des violences de l'antisémitisme, se porteront en flot tumultueux vers la Palestine, où rien n'est prêt pour les recevoir et où elles risquent d'aller au-devant de plus grandes misères que celles dont elles souffrent à présent. La situation est telle que les pauvres ne pourront songer à s'y fixer. L'établissement d'une famille de colons revient aujourd'hui à environ 50 000 francs. Où pourra-t-on trouver les capitaux nécessaires pour installer un nombre considérable de familles ? Et d'abord, s'est-on suffisamment rendu compte des possibilités d'accueil de la Palestine ? La population totale du pays est de 600 000 âmes, dont le dixième environ est israélite. Croit-on que les Arabes renonceront à leurs prérogatives et que l'Angleterre, devant l'hostilité qu'elle ne manquera pas de rencontrer de leur part, le jour où elle voudra assurer aux Juifs même un semblant d'autonomie, n'hésitera pas elle-même à réaliser son plan d'action ?

La Palestine est certes capable d'absorber de nouvelles énergies et son sol peut être fécondé par un nombre plus considérable d'agriculteurs que celui qui y travaille actuellement. Mais cependant, là encore les possibilités sont limitées. Des gens qui connaissent le pays, les plus optimistes parmi eux estiment que 10 à 20 000 arrivants nouveaux par année constituent un grand maximum d'immigration. Voyez alors le temps qu'il faudrait pour établir en Palestine un nombre appréciable de nos coreligionnaires de l'Europe orientale. Des personnes très compétentes sont d'avis que la Palestine ne pourra peut-être jamais nourrir plus de 800 000 à 900 000 habitants. Les dirigeants du sionisme mis dans l'obligation de s'exécuter déconseillent à présent eux-mêmes un exode en masse inconsidéré. Voilà cependant des millions de pauvres gens qui s'accrochent à la pensée de la Palestine comme à l'unique espoir qui leur reste, comme au seul soulagement possible à leurs maux. Lorsque tant de malheureux, se réveilleront de leur beau rêve à la constatation de l'implacable réalité, quels reproches n'adresseront-ils pas à ceux qui les auront entretenus dans ces projets chimériques? Voilà ce que nous redoutons, voilà ce qu'en dehors de toute pensée hostile à l'égard du sionisme, mais parce que nous voyons un péril grave se lever à l'horizon, nous estimons de notre devoir de la dire. Nous non plus nous n'avons pas de vœu plus ardent que de voir des milliers et des milliers de familles juives de l'Est quitter le ghetto russe ou polonais et être rendues à l'air et à la liberté, mais nous croyons que la voie qu'on trace et les espérances qu'on donne à des millions de nos frères les mèneront à un désastre.

Voilà pourquoi aussi nous pensons que des raisons impérieuses obligent l'immense majorité des Juifs à rester dans les pays où ils sont actuellement établis, de s'adapter au milieu tout en gardant leur caractère propre, notamment leurs traditions et leurs espérances religieuses. Le grand devoir des organisations juives qui s'intéressent à leur sort est d'obtenir pour eux la reconnaissance de leurs droits, la suppression de toutes les barrières légales qui entravent leur activité ou leur liberté. C'est là la tâche que l'Alliance s'est imposée de tous temps, qu'elle s'est attachée de remplir devant la Conférence de la Paix et dont le traité signé par la Pologne montre l'efficacité. Nous avons l'espoir que les traités qui seront soumis aux autres états de l'Europe orientale consacreront les mêmes principes en faveur des Juifs.

J. Bigart

(Archives de l'A.I.U. Tunisie, I, G, 1)

La plupart des enseignants restèrent fidèles à l'idéologie de l'émancipation dont ils s'étaient imprégnés à l'E.N.I.O. ; seuls quelques-uns, Sam Hochberg et Jacques Loria, par exemple, devinrent sionistes et quittèrent l'organisation. D'autres, cependant, parvinrent à la conclusion que l'Alliance devait se réformer et se démocratiser, afin que le courant sioniste puisse s'y exprimer :

L'ALLIANCE FACE AU SIONISME

Ispahan, le 12 août 1917

[...]

... A la suite de l'explosion d'antisémitisme de la fin du xix\ue siècle le Comité central avait cru sage sinon de renoncer complètement à son œuvre politique mais de donner le premier rang à sa tâche éducatrice qui a semblé, extérieurement du moins, absorber toute son activité. Cette retraite voulue de l'Alliance est certainement pour beaucoup dans le succès de la propagande sioniste... Beaucoup d'Israélites d'Occident ont suivi Herzl surtout parce qu'il leur fournissait l'occasion d'affirmer leur qualité de Juif...

Mais il semble que la première condition que l'Alliance doive remplir pour reprendre sa place à la tête du judaïsme, c'est d'introduire plus de liberté et plus de lumière dans son organisation. En pleine réaction du second Empire, les fondateurs de l'Alliance lui ont donné comme base le suffrage universel. Je me rappelle avoir lu dans un vieux bulletin de l'Alliance une discussion sur le mode d'élection du Comité central, et, si je ne me trompe, c'était votre regretté père qui défendait éloquemment contre M. Oppert l'élection directe par les sociétaires. Et c'est maintenant où des torrents de sang coulent pour faire triompher la démocratie dans le monde entier, que l'on maintiendrait un mode d'élection qui convient à peine à des académies ou à ces sociétés de bienfaisance surannées où charité est synonyme d'aumônes.

Je reconnais toutes les difficultés du vote dans une organisation comme l'Alliance dont les membres sont répandus dans le monde entier. L'élection dans un congrès ou une assemblée générale serait peut-être préférable, mais encore faut-il que tous les adhérents soient représentés ce qui est bien difficile. Mais que l'élection se passe par le suffrage universel ou qu'elle s'effectue à deux degrés par l'intermédiaire d'un congrès, durant deux ou trois jours, il est certain que les électeurs ne peuvent connaître les candidats et plus que partout, le vote doit se faire sur des idées et non des personnes. D'autre part, si l'Alliance veut réellement être universelle, il faut qu'elle puisse contenir tous ceux qui n'ont pas honte du nom de Juif.

Aussi déjà en 1902, dans une étude dont j'ai envoyé copie il y a deux ans à M.S. Reinach, ai-je proposé d'introduire dans les élections du Comité central la représentation proportionnelle. J'ai été traité de rêveur chimérique mais peut-être beaucoup de membres du Comité cental jugeront-ils que le moment est venu de rétablir les élections en admettant un système, qui tout en permettant à toutes les opinions de se manifester, empêcheront les révolutions brusques, qui peuvent mettre en danger l'existence de l'œuvre, telle que celle qui faillit être provoquée par les Allemands lors des dernières élections.

Une conséquence de l'adoption de la réforme ci-dessus, sera que l'Alliance devra renoncer à l'attitude franchement antisioniste qu'elle a adoptée et qui a éloigné d'elle une grande partie des Juifs d'Orient et d'Occident qui, s'ils n'admettent pas absolument le credo de Bâle qu'ils ignorent parfois, ont conservé l'idéal du retour à Sion qui a soutenu leurs pères pendant tant de siècles. Personnellement, je suis plutôt opposé au sionisme s'il doit entraîner une dépossession des Arabes et créer un nationalisme juif qui sera plus fanatique que les autres puisque l'histoire (ne fût-ce que l'exemple récent de la Roumanie et peut-être de la Pologne) nous montre que le premier usage de leur liberté que font les peuples nouvellement délivrés du joug est de persécuter les éléments étrangers se trouvant parmi eux, et que la tyrannie qu'ils exercent est en fonction directe de celle qu'ils ont supportée et il est difficile de refuser à Israël le record des persécutions subies.

On ne peut sans tyrannie arrêter les Juifs qui veulent retourner dans le pays de leurs aspirations traditionnelles et en évitant la rupture avec les sionistes, on aura plus de chance d'éviter les excès nationalistes. L'avenir trouvera certainement une formule probablement dans le genre canadien, qui conciliera les intérêts des deux grands peuples dits sémitiques.

En tout cas qu'il y ait en Palestine un État juif seulement ou un centre moral et intellectuel comme l'admettent même les antisionistes le plus acharnés, ce n'est qu'une minorité des Israélites qui retournera dans la Terre ancestrale. Et il restera suffisamment à faire pour l'Alliance pour maintenir l'unité du judaïsme et pour

assurer la défense et le développement moral et économique dese Juifs. Nous aurions tort de nous endormir, l'ennemi est toujours là et ne désarme pas. Si la Révolution russe emmènera partout pour les minorités la liberté non seulement religieuse mais même nationale, dont l'Occident n'éprouvait pas le besoin, il n'en est pas moins à craindre que la guerre n'ait aussi pour effet un redoublement de nationalisme étroit et de xénophobie haineuse dont souffriront tous ceux qui se distinguent, par quoi que ce soit, des habitants du pays. On peut espérer que la vie en commun pendant trois ans, exposé aux mêmes dangers et montrant le même héroïsme, qu'une grande partie de chaque nation maintiendra après la paix l'union sacrée, mais il est aussi possible que les questions sociales et les différences qu'elles entraînent prennent une grande force et que comme nous l'avons souvent constaté beaucoup de gens cherchent dans l'antisémitisme un dérivatif aux revendications populaires. Déjà nous voyons dans les organes dits sérieux des allusions contre nos coreligionnaires ; même dans la libre Angleterre, on a eu à déplorer des émeutes antijuives. Ce ne sera pas trop de l'union de tous les fils d'Israël pour résister aux assauts de la réaction ou plutôt (car bien peu nombreux seront, après la guerre ceux qui oseront se déclarer ouvertement contre la démocratie) pour empêcher le virus de l'antisémitisme de s'insinuer dans le rang des défenseurs de la liberté et pour démasquer les Tartuffes qui sous le masque démagogique, s'emploieront à détruire les conquêtes de l'esprit moderne. J'espère que vous serez aussi d'avis que le meilleur moyen de conserver l'estime et l'appui de nos amis non juifs n'est pas de cacher notre drapeau et de tâcher d'atténuer sinon de nier la solidarité israélite universelle.
[...]

A. BRASSEUR

(Archives de l'A.I.U, Iran, I, C, 3)

Étrangement prémonitoire, cet appel d'une grande pénétration resta sans réponse de la part du comité central.

De fait, le sionisme accrut considérablement son influence parmi les sépharades, notamment auprès de la jeunesse. Toutefois, dans la plupart des pays, il ne devint pas suffisamment puissant pour anéantir le travail de l'Alliance, même s'il réussit à l'affaiblir[114]. Les écoles finirent par trouver un *modus vivendi* avec les sionistes : elles augmentèrent le nombre d'heures consacrées à l'hébreu, sans toutefois modifier de façon radicale le contenu de leur programme. Elles ne le feront qu'après la Seconde Guerre mondiale. Afin d'éviter une guerre ouverte, l'Alliance ainsi que ses enseignants adoptèrent une position officielle de neutralité envers le sionisme, tout en ne se privant pas d'exprimer publiquement leurs nombreuses réserves d'ordre idéologique et pratique. En fait, celles-ci cachaient mal un antisionisme résolu au sein de la direction et de la grande majorité du personnel de l'Alliance. L'idéologie de l'émancipation ne pouvait que rester radicalement hostile à un mouvement prônant le nationalisme juif. Ce n'est qu'après la Seconde Guerre mondiale et le génocide nazi que l'organisation adoptera une orientation plutôt favorable au sionisme.

Comme on pouvait s'y attendre, la montée du nationalisme parmi les musulmans fut, elle aussi, accueillie avec inquiétude par le personnel de l'Alliance. Les enseignants avaient toujours nourri des sentiments ambivalents à l'égard des populations musulmanes. Faisant écho aux idées reçues en Occident à l'époque, ils voyaient en elles le principal obstacle au progrès, en raison du fanatisme dont elles semblaient incapables de se défaire. Moins prévalente chez les enseignants en poste dans les provinces turques de l'Empire ottoman, cette attitude était monnaie courante en Iran, en Irak et en Afrique du Nord. Envoyée de Bagdad en 1909, cette lettre témoigne du profond mépris de son auteur, A. Franco, pour les Arabes.

Bagdad, le 28 mai 1909

[...]

Dans nulle autre contrée les lois ne sont aussi en avant sur les mœurs que dans la Mésopotamie. L'état social chez les musulmans est très arriéré et comme ils sont les plus nombreux, le contre-coup s'en fait sentir dans les milieux juifs et chrétiens. Ainsi le mépris du musulman pour la femme est poussé jusqu'aux dernières limites ; elle est pour lui un être inférieur qui doit croupir dans l'ignorance et dans l'ennui ; elle est faite pour garder la maison et pour être l'esclave du maître...

On voit donc que les Musulmans sont la pierre d'achoppement à tout progrès ; c'est un poids mort qui pèse aussi sur le reste de la population. Ennemis de toute innovation, ils regardent d'un mauvais œil les efforts tentés par les autres pour se créer une vie meilleure ; ainsi ils voudraient les empêcher de s'habiller à l'européenne ; cet usage est considéré chez eux comme un signe de civilisation ; aussi bien que le soin que l'on prend pour sa personne ; ils sont capables de lapider un sujet turc qui porterait un chapeau. Les autres doivent se modeler sur eux et se maintenir au-dessous même de leur niveau.

Pour abattre cette citadelle de fanatisme et d'ignorance et pour faire revenir à l'activité et à la vie ces milliers d'êtres, le nouveau gouvernement devra porter tout son effort vers l'instruction et l'éducation de la masse. Le seul moyen de purifier l'air contaminé qui étouffe la ville, c'est de le renouveler. Il devra donc organiser l'instruction sur un système répondant aux idées modernes. Il éprouvera assurément une résistance acharnée de la part des *ulemans*[115], qui dirigent les écoles islamiques et qui empêchent qu'on soumette le Coran au libre examen. Mais le gouvernement est le plus fort et doit imposer fermement sa volonté...

La victoire remportée par le Comité Union et Progrès sera un pur leurre, s'il ne parvient pas à organiser l'enseignement dans tout l'Empire. La liberté ne sera qu'un mot dénué de sens, elle constituera une source de danger même, tant que la population ne sera pas préparée, en prenant conscience d'elle-même, à en jouir intelligemment.

A. FRANCO

(Archives de l'A.I.U., Irak, I, C, 4)

Les enseignants, comme d'ailleurs la majorité des Juifs, avaient les yeux tournés vers l'Occident, dans l'espoir qu'il mettrait un terme à la situation anarchique qui régnait dans la plupart des pays musulmans. Ils jugeaient la colonisation européenne comme un fait positif. A cet égard, la lettre enthousiaste envoyée d'Agadir par Loubaton en 1913 est tout à fait représentative :

Agadir, le 14 août 1913

[...]

L'année 1912-1913 marque une étape importante dans l'histoire de l'empire du Maghreb ; après dix ans d'efforts continus, après une série d'incidents et de nombreuses vicissitudes, après des pourparlers longs et pénibles qui ne prirent fin qu'à la suite de sacrifices douleureux mais inévitables, la France a obtenu carte blanche sur le Maroc et y a proclamé son protectorat. Voilà donc réalisé le rêve colonial du gouvernement de la République : l'Afrique septentrionale réunie directement à l'Afrique occidentale et équatoriale, et l'influence française solidement établie de la Méditerranée à l'Atlantique.

Quelles seront les conséquences du changement politique instauré au Maroc ? Il est prématuré de le définir avec précision. On peut cependant affirmer que le nouveau régime aura une action décisive sur l'organisation administrative et judiciaire du pays, sur la vie économique et intellectuelle de ses habitants ; le Chaouia n'a-t-elle pas largement bénéficié des bienfaits de l'occupation ?

Fez, Marrakech, Taroudant, Kasbah-Tadla, Agadir, voilà les points réputés imprenables d'une sage et clairvoyante politique, appuyée sur une force militaire de premier ordre, a acquis au gouvernement protecteur au bout d'un an de labeur. Les communications entre les villes du littoral et ces centres sont facilitées par des routes nouvellement créées, voyageurs et caravanes y circulent librement et en toute sécurité, les transactions commerciales sont plus actives, une prospérité inconnue jusqu'ici s'annonce pour l'intérieur de cette contrée.

[...]   L. LOUBATON
(Archives de l'A.I.U., France, XV, F, 26)

L'admiration pour l'Occident et les grands espoirs placés dans l'administration coloniale n'apparaissent nulle part avec autant de vigueur que dans cette lettre euphorique rédigée en 1915 par Zilberstein, peu après l'entrée des troupes britanniques à Bassorah (Irak) :

Bassorah, le 20 août 1915

[...]

Le 22 novembre 1914, jour de l'entrée des Anglais à Bassorah, est une date importante de l'histoire coloniale de l'Angleterre. C'est en ce jour que s'accomplissait le grand rêve britannique, rêve d'un demi-siècle pour la réalisation duquel la Grande-Bretagne travaillait depuis de longues années.

Posséder Bassorah, débouché de l'Irak et de la Mésopotamie, clef d'une des plus riches contrées du monde, et de là pouvoir commander une des routes les plus importantes du globe, c'était l'ambition de tous les grands hommes anglais qui s'occupaient des affaires coloniales. Et les rives du Chat-el-Arabe, virent à leur tour flotter le drapeau britannique qui couvre le quart des terres émergées et cela sans verser beaucoup de sang, sans trop sacrifier de vies humaines, sans grande guerre, à la suite d'une simple expédition.

Si au moment où j'écris quelques grandes villes seulement sont au pouvoir des Anglais, d'ici à quelques semaines, quelques mois au plus tard, tout le reste de cette riche contrée, premier berceau de l'humanité, passera sous la domination anglaise.

A jamais débarrassé du joug turc qui depuis des siècles opprime cette terre privilégiée, ce pays verra revenir à lui sa prospérité d'il y a 2000 ans. Les ruines accumulées pendant des siècles par la barbarie turque seront relevées ; des voies de communication seront construites ; les fleuves rendus navigables aux grands bateaux ; des canaux viendront fertiliser les régions jusqu'à présent stériles et improductives, et la Mésopotamie connaîtra une prospérité qu'elle n'a pas pu avoir chez les Turcs et dont elle jouira sous le nouveau régime.

[...]   A. ZILBERSTEIN
(Archives de l'A.I.U., Irak, I, C, 5)

L'apparition de nationalismes contestant cette vision optimiste du monde qui tablait sur la perpétuation d'une forte présence européenne au Moyen-Orient et en Afrique du Nord constitua un rude choc pour les enseignants. Le sort réservé aux écoles de l'Alliance en Turquie après l'arrivée au pouvoir d'un régime nationaliste allait leur dessiller les yeux. Proclamée en 1923 sur les ruines de l'Empire ottoman, la République turque, résolument laïque et nationaliste, ne pouvait tolérer qu'une organisation étrangère continue de prendre en charge l'éducation d'une partie de ses citoyens. Les écoles furent nationalisées vers le milieu des années 1920 et cessèrent de fonctionner en tant qu'institutions de l'Alliance.

Galata (Istanbul), le 14 mai 1935

[...]

C'est aux environs de 1923 que l'action gouvernementale commença à se manifester d'une façon précise et selon un programme préconçu.

Ainsi... la circulaire du 20 mai 1923 fait savoir que « l'enseignement de la langue turque, de l'histoire et de la géographie de Turquie doit être donné par des professeurs turcs et en langue turque. Le ministère se réservant d'autre part le droit de les choisir et de les nommer ».

De par mon passeport, je puis être aussi turc que Mehmet ou Ahmet, de par mes diplômes et ma culture générale, je puis être en état de bien remplir ma mission auprès des enfants, n'importe, je suis éliminé de facto puisque le choix du titulaire d'un poste quelconque est réservé à la direction de l'Instruction publique à laquelle on a déjà fait parvenir la liste des jeunes gens sur lesquels elle devra fixer son choix à l'exclusion de tous autres candidats et après élimination préalable des instituteurs qui, peut-être depuis de longues années, occupaient brillamment leurs postes.

Il est à remarquer que le mot musulman ne sera guère prononcé dans les différents documents que j'ai l'honneur de vous faire parvenir quoique ce soit celui auquel on pense le plus...

La mesure édictée par la circulaire précitée ne saurait satisfaire ses promoteurs : les établissements israélites font encore preuve d'une trop forte vitalité. C'est que le contact est encore maintenu avec l'Alliance qui les dirige par son personnel tout spécialement préparé à une mission qui exige du tact, un sens psychologique spécial et un dévouement se haussant parfois jusqu'à l'héroïsme, avec l'Alliance qui les subventionne et qui leur permet de « tenir le coup ».

Qu'à cela ne tienne, un nouvel iradé fera l'affaire : Il y a beau temps que le Code dort dans la poussière ; on intimera l'ordre à ces braves Juifs d'avoir à cesser avec l'Alliance des relations dont la Loi ni ses représentants n'ont à s'occuper...

Dès le 21 juin 1924 un nouveau coup, mortel cette fois-ci, nous est asséné.

L'Alliance a été éliminée, il est vrai, mais l'Occident continue à se faire sentir quand même, par cette langue française qui ne cesse d'être la langue d'enseignement, autrement dit le véhicule de tout ce que l'humanité compte de plus beau ; et dont il faudra que les Juifs soient privés. L'Alliance ne fait plus sentir son action, mais le personnel qu'elle a formé met tout son zèle à appliquer les programmes d'enseignement dont elle fut l'inspiratrice.

La circulaire du 21 juin 1924... consommera le désastre. Le bouleversement sera complet.

Dans des termes qui portent la marque de la plus mauvaise foi mise au service d'une cruauté cynique, on nous fait savoir qu'en haut lieu on nous intimait l'ordre d'avoir à enseigner dorénavant toutes les branches dans la « langue maternelle de la nation israélite », c'est-à-dire en hébreu. Le rédacteur de ce chef-d'œuvre savait fort bien qu'il mentait effrontément. C'est pourquoi, sans doute, il ne l'a pas signé, se contentant d'y faire apposer le cachet officiel. Il n'est, en effet, Turc à Constantinople qui ne sache que la langue maternelle des Israélites de Turquie est un espagnol plus ou moins corrompu, mais qu'importe ? Au besoin on créera en pleine République turque et en dépit des pièces d'identité une nation israélite à laquelle on imposera, en même temps que la nationalité, une langue, la langue hébraïque, dont elle est fière, certes, mais qui n'est pourtant pas sa « langue maternelle » ; et, comme il faut que « toujours par quelque endroit fourbes se laissent prendre » on insinuera, qu'« à défaut de l'hébreu » on pourrait se servir de la langue officielle, c'est-à-dire du turc...

La substitution du turc (« à défaut » de l'hébreu) à la langue française eut pour effet de détruire l'homogénéité présentée jusque-là par nos cadres. D'anciens et excellents maîtres durent être licenciés pour être remplacés par des « musulmans » que l'on dut recruter sur place, ce qui eut vite fait d'ouvrir la porte à des interventions plus ou moins déguisées de certains fonctionnaires désireux de procurer des places à leurs créatures ou à leurs proches ; ce qui, joint aux malversations de quelques-uns des nôtres, soucieux de faire leur cour à certains hauts fonctionnaires et de pêcher dans des eaux si bien troublées, eut pour effet de jeter le désarroi parmi vos directeurs nullement préparés à résister à pareille bourrasque.

Il va sans dire qu'on chercha à réagir ; des démarches sérieuses et fort bien conduites furent tentées à Ankara, qui restèrent sans résultat ; et à partir d'octobre 1924... la transformation de nos écoles, quoique graduelle, était un fait accompli...
[...]

E. NATHAN

(Archives de l'A.I.U., Turquie, II, C, 8)

Entre les deux guerres, la correspondance des enseignants se fait de plus en plus l'écho des troubles qui agitent la Palestine et provoquent des manifestations d'antisémitisme dans d'autres pays musulmans ; elle témoigne aussi d'une inquiétude grandissante face à la montée de l'antisémitisme et du fascisme en Europe.

Bagdad, le 23 avril 1936

[...]

Agitation en Palestine. Les incidents de la Palestine n'ont pas été sans avoir leur répercussion sur les esprits de notre milieu. Les journaux arabes consacrent journellement de longs articles sur la violence des agissements juifs en Palestine et sur les soi-disant massacres de la population arabe par les Israélites de la Palestine. Nos coreligionnaires ont demandé au ministère de donner ordre à la presse de ne pas se départir du calme nécessaire en la circonstance et de ne pas susciter en vain la haine contre l'élément juif du pays. Nous voulons espérer que cette demande sera prise en considération et que nous n'aurons pas à déplorer les suites de cette campagne d'excitation et de haine que la presse mène depuis quelques jours...

Nous ne pouvons pas nous dissimuler que la situation devient difficile. Tout est suspect de la part de nos coreligionnaires. Leur moindre geste est taxé de sionisme ou d'antipatriotisme. Et cependant, Dieu sait si les Israélites de Bagdad sont loin de toute idée sioniste. Voici quelques exemples de la manière dont on envisage et interprète nos faits et gestes :

Je vous avais dit, il y a quelque temps, que le chef de la Communauté, Haham Sassoon, avait organisé dans la cour de notre école une cérémonie religieuse à la mémoire de Mme Farha Sassoon de la famille David Sassoon de Londres qui venait de décéder.

Or, nous avons appris, quelques jours après que la police a dressé procès-verbal inculpant l'école d'avoir tenu une réunion sans autorisation... J'ai dû prouver qu'elle avait été organisée par le chef de la Communauté juive, que les invitations avaient été lancées par lui pour me dégager de toute responsabilité qui, venant après l'amende qui nous avait été imposée par le Tribunal l'année passée à la suite de la fête scolaire que nous avions donnée à l'école, eut été grave...

Vous avez dû savoir aussi qu'il y a quelque temps le président de la Communauté de Bassorah avait été condamné à 15 jours de prison pour avoir aidé quelques immigrants juifs dont certains, dit-on, n'avaient pas leur passeport en règle.

[...]   M. LAREDO

(Archives de l'A.I.U., Irak, I, C, 3)

Le temps des troubles, au Levant, inspire à Alep et Beyrouth des correspondances non moins inquiètes.

Alep, le 9 juin 1936

[...]

La Syrie est en pourparlers avec la France pour son indépendance. La France a promis, sous la pression de la grève générale, de lui accorder un traité analogue à celui de l'Irak. Les Syriens prétendent imposer à la France ce traité. Rien de plus dangereux, vu la mentalité arabe, que cette conception de la faiblesse de la puissance mandataire. La France, de son côté, pense peut-être, qu'en accordant l'indépendance à la Syrie elle l'apaise et s'attire son amitié : mais en réalité elle laisse se fortifier un pays qui saura mieux lui résister. En outre ce sera le second État arabe indépendant dans le Proche-Orient et ceci augmentera l'arrogance des Arabes. Dès que les circonstances favoriseront le monde musulman, dès que des difficultés surgiront en Europe pour la France et l'Angleterre, ces nouveaux pays, jeunes, ardents, fanatiques, qui auront des soldats, pourront plus facilement déchirer les traités conclus avec les puissances occidentales qu'ils exècrent.

La France désireuse de régler la question syrienne dans le présent doit certainement envisager l'éventualité d'une trahison syrienne. Elle accordera probablement l'indépendance à la Syrie mais elle ne devra pas faillir à son éternel devoir chevaleresque qui est de protéger le faible ; il ne faut pas qu'elle abandonne les minorités qui sont dans l'angoisse et qui l'aiment sincèrement ; elle doit exiger de la Syrie des garanties sérieuses pour la protection des minorités : la présence de l'armée française est la seule garantie efficace.

Sans la protection française, l'avenir des minorités syriennes paraît sombre. Les Israélites surtout ont le plus à redouter de cette éventualité. Dans la haine profonde que les Arabes solidaires vouent au sionisme, l'Israélite et le sioniste se confondent et la première chose que des Arabes libres et forts combattront c'est le sionisme qui se met en travers du panarabisme. Les nouveaux dirigeants d'une Syrie intégralement indépendante seront-ils à la hauteur de leur tâche ? Sauront-ils neutraliser le virus du nouvel antisémitisme arabe et protéger les communautés juives contre les persécutions ou des massacres probables ? Sauront-ils trouver une solution à la crise économique dans un pays plutôt pauvre et surtout arrêter l'élan fanatique des masses déchaînées, ivres de leur indépendance ?

Autant de questions angoissantes auxquelles l'avenir seul pourra répondre.

[...]

                                                    E. MENDA

(Archives de l'A.I.U., Syrie, I, C, 3)

                                        Beyrouth, le 19 juin 1936

[...]

... Nos leaders négocient l'indépendance de leurs pays et les dernières nouvelles nous annoncent que les bases du traité franco-syrien ont été scellées. Le régime du Mandat prendra bientôt fin. La Syrie et le Liban, la Syrie surtout manifeste bruyamment sa joie. Les musulmans de ces deux pays sont au paroxysme du délire. « Plus de mandat, plus de Français. Indépendance complète, entière, absolue. Nous serons nos maîtres : ni tuteur, ni gêneur. » L'Islam triomphe.

La victoire des nationalistes nous plonge dans une profonde détresse. Nos maîtres de demain ne sont pas encore préparés à assumer les lourdes responsabilités de la Liberté.

Juifs de Beyrouth et Juifs de Syrie, Juifs de Syrie surtout envisagent l'avenir avec angoisse. Une profonde inquiétude étreint nos cœurs. Plus de Mandat, plus de frein ; tant que les drapeaux français flottaient sur nos têtes, nous nous sentions en pleine sécurité. L'armée française nous protégeait. Le haut-commissaire réprimait vite les abus et faisait redresser toutes les iniquités. Que de fois, durant ces dernières années lorsque nous nous sentions en danger, à la suite des événements qui se déroulèrent en Palestine, une petite démarche auprès des représentants de la France suffisait pour ramener la quiétude dans nos communautés...

Quel sort sera demain réservé aux minorités, en Syrie et au Liban, quelle sera demain la politique des musulmans à notre égard ?...

Nous sommes très près de la Palestine, c'est ce qui avive nos inquiétudes.

[...]

                                                    E. PENSO

(Archives de l'A.I.U., Liban, I, C, 1)

Les craintes soulevées par le départ des Occidentaux allaient se révéler pleinement justifiées. Avec la création de l'État d'Israël et la décolonisation, l'écrasante majorité des Juifs dut quitter les pays arabes.

Le déchaînement de l'antisémitisme, du nationalisme, du nazisme et du fascisme apportait un cinglant démenti aux visions confiantes et optimistes qui avaient été celles du XIXᵉ siècle et de l'Alliance. Les programmes et les solutions du passé n'étaient plus adaptés à la nouvelle situation. Écrivant à un enseignant en poste à Tunis cinq mois avant la déclaration de la Seconde Guerre mondiale, Sylvain Halff, alors secrétaire général de l'Alliance, est prêt à en convenir :

Paris, le 29 mars 1939

[A M. Ben-Meir, Sousse]

Monsieur,

Nous avons reçu votre rapport du 8 mars.

L'entretien entre un sioniste, un assimilé et un déjudaïsé que vous relatez exprime la pensée de trois personnalités qui s'agitent à l'heure actuelle au fond de l'âme juive sans arriver à se mettre d'accord. Cet état d'âme est assez compréhensible. En présence de l'antisémitisme déchaîné dans un grand nombre de pays que l'on croyait acquis à la civilisation, le Juif se met à douter des idées essentielles d'une civilisation qui promettait tant sans être capable de tenir.

Les arguments de celui que vous appelez le déjudaïsé sont peut-être les moins forts. Sans parler de tout ce que le renoncement qu'ils préconisent comporte d'indigne, la déjudaïsation est pratiquement condamnée depuis que l'antisémitisme est devenu raciste.

Quant au sionisme, n'a-t-il pas abouti à une impasse ? On est aussi en droit de se demander si la solution de désespoir que certains voient dans le sionisme, ne semble s'imposer qu'en raison d'une fausse perspective historique. S'y rallier, n'est-ce pas oublier toutes les difficultés que le judaïsme a eu à traverser au cours de son passé et dont il a su triompher ? Ses malheurs actuels ne consistuent peut-être qu'une nouvelle étape de la lutte pour l'émancipation.

L'assimilation serait-elle la seule solution ? Peut-être. Mais à condition bien entendu, que ses thèses fondamentales soient revues à la lumière des faits nouveaux. Dans ses formules du XIXᵉ siècle, elle n'est plus à la mesure de l'actualité. Il y a là un thème de méditations, un problème de vie intérieure en premier lieu. Et le rôle spirituel du judaïsme, sa mission religieuse dans le monde — dont il n'est jamais question dans votre exposé, ne saurait alors manquer d'apparaître comme dominant toutes ces réflexions. Mais on ne peut pas improviser une doctrine de cet ordre. Et nous sommes entièrement d'accord avec vous sur la nécessité d'inviter les élèves de l'École normale à cette méditation et de diriger leurs recherches.

Le secrétaire
S. HALFF

(Archives de l'A.I.U., Tunisie, I, G, 1)

CONCLUSION

Tanger, le 2 août 1932

[...]

... Sans remonter aux prophètes, le premier des humanistes fut sans contredit Spinoza dont la géniale pensée sut se libérer de l'orthodoxie rabbinique. Jusqu'alors, en effet, les philosophes juifs avaient puisé leurs inspirations dans les dogmes rabbiniques et leurs écrits n'en sont que les commentaires plus ou moins subtils, plus ou moins ingénieux des textes sacrés, écrits rédigés, le plus souvent, en marge de ceux-ci. Spinoza dégagea la spéculation philosophique des données religieuses de l'époque, et les rabbins lui firent payer cette indépendance de la plus indigne des humiliations.

... Au XVIIIe siècle, la situation était différente : la France des philosophes comme l'Allemagne de Frédéric le Grand rompirent le joug sous lequel les Églises avaient prétendu maintenir l'esprit humain, et l'humanisme triompha, l'humanisme qui signifie libération de la raison, affirmation du libre examen et des libres recherches, affranchissement de la conscience humaine, culture des sciences et rejet de valeurs dogmatiques usées par l'abus même qui en avait été fait.

Mosès Mendelssohn est le principal artisan de cette œuvre de rénovation dans le judaïsme. Il s'était rendu tout jeune à Berlin pour poursuivre ses études talmudiques. Il fut séduit par l'esprit de réformes, et l'amour des sciences qui avaient alors conquis la capitale de la Prusse ; il étudia les mathématiques, le latin, la philosophie et se lia avec Lessing, ce qui lui permit d'étendre ses relations...

Désirant travailler à l'amélioration morale de ses coreligionnaires Mendelsohn traduisit en allemand le Pentateuque dont les commentaires rabbiniques et cabbalistiques avaient altéré le sens ; cette traduction fut frappée d'anathème et brûlée. Mais les élèves des écoles rabbiniques furent, à leur tour, touchés par l'esprit du siècle et cultivèrent les sciences et la littérature profane.

A l'exemple de Lessing qui fut un défenseur courageux du judaïsme, d'autres savants chrétiens se mirent à étudier le glorieux passé juif. Dans sa *Réforme politique des Juifs*, Dohm demanda pour ceux-ci les droits dont jouissaient les autres habitants du pays.

Et Mendelssohn continua sa mission. Dans *Jérusalem*, il démontra que la religion juive reconnaît à ses adeptes la liberté de croire selon leur conscience...

La liberté que les Juifs de Berlin ne pouvaient acquérir qu'au seuil de l'Église, la France devait la leur donner sans leur imposer des conditions humiliantes ou contraires à leurs croyances et à leur dignité. C'est, en effet, la Révolution française qui réalisa le vœu de Mendelssohn, de Lessing, de Dohm, vœu qui avait pour objet d'intégrer l'élément juif au sein des nations. Sans doute cette nouvelle situation comportait-elle une contrepartie. Dès l'instant que les Juifs avaient une patrie où leur étaient accordés tous les droits, qu'ils avaient d'ailleurs réclamés avec une ténacité constante, ils ne pouvaient plus, ils ne devaient plus tourner leurs regards vers d'autres terres. Fini donc — parce que réalisé d'une manière imprévue — le rêve messianique qui avait réconforté le judaïsme au cours de ses angoisses millénaires, finies aussi les lois juives qui pouvaient paraître désuètes ou en contradiction avec celles de l'État...

C'est la Bible qui est à la base de la religion mosaïque. La Bible certes est un tout, un bloc qu'il faut accepter ou rejeter. Mais le judaïsme qui avait reçu la mission d'éduquer l'humanité pouvait difficilement se reconnaître dans cette tendance particulariste, dans cette conception étroite qui fut celle de nos ancêtres lors de la conquête palestinienne et qui répondait peut-être alors à une nécessité de l'époque...

Comme on se sent plus à l'aise dans ces textes d'une grande portée morale, d'une envolée universaliste par lesquels s'affirme l'idéal de nos prophètes ; c'est dans leurs écrits, dans l'universalisme qu'ils ont prêché que le judaïsme peut et doit puiser sa fierté et sa raison d'être. Les prophètes qui interprètent la pensée d'un Dieu universel nous assignent, assignent à Israël, une mission auprès des autres nations ; ils nous prêchent un idéal d'humanité, de solidarité, de fraternité.

Telle est la religion de nos prophètes et tels sont les principes que la Révolution française a fait triompher en Europe, en attendant qu'ils devinssent la charte de l'humanité. S'il y a donc eu assimilation, elle s'est faite en sens inverse ; c'est le judaïsme des prophètes, qui soit directement, soit par l'intermédiaire du christianisme et surtout par l'entremise de la Réforme qui s'est arrêté à mi-chemin sur la voie du judaïsme a ramené le monde à son idéal de justice et de paix. Devons-nous franchement regretter que les autres peuples se soient mis à notre école et aient étanché leur soif d'idéal aux sources de notre religion ? Les prophètes sont aujourd'hui — et c'est la gloire du judaïsme — revendiqués par toute l'humanité qui s'est assimilée au judaïsme...

A. SAGUÈS

(Archives de l'A.I.U., Maroc, LIX, E 943 c)

Cette filiation intellectuelle, à la fois fondement et justification du travail de l'Alliance, met en évidence un aspect essentiel de l'organisation en général et de son corps enseignant en particulier. Sur le plan des idées, l'Alliance plonge ses racines dans la *Haskala*[116], le mouvement juif des Lumières inauguré par Moïse Mendelssohn. Né en Allemagne au milieu du XVIIIe siècle, ce mouvement, qui n'avait pas tardé à se répandre en Europe, appelait, sous des formes diverses, à un renouvellement de la culture et de la société juives traditionnelles sur le modèle de la civilisation moderne « universelle », et à l'intégration culturelle et sociale des Juifs dans les pays où ils vivaient. La dénonciation de la culture et de la vie juives traditionnelles, et plus particulièrement du judaïsme rabbinique, la lutte contre ce qu'on regardait comme des superstitions, la volonté de faire apparaître au grand jour l'essence épurée d'une religion en parfaite harmonie avec la raison, l'accent mis sur la restructuration d'un corps social malade grâce à l'apprentissage des métiers manuels et au retour à l'artisanat et à l'agriculture, le culte voué à l'instruction laïque moderne, tous ces thèmes chers à la *Haskala* avaient déjà fait l'objet d'intenses débats au cours du siècle précédant la fondation de l'Alliance. Cependant, pour l'Alliance, toutes ces aspirations culminaient dans l'émancipation des Juifs, dans leur accession à la citoyenneté et à l'égalité des droits selon le modèle français.

On a souvent qualifié le judaïsme français du XIXe siècle d'« assimilassioniste » par excellence, et vu dans les Juifs de France une communauté dont l'identité et la cohésion s'étaient peu à peu affaiblies, avant d'être ranimées par l'arrivée massive de Juifs étrangers vers la fin du siècle. Il n'en reste pas moins qu'aucune autre communauté juive européenne ne donna naissance, dans la seconde moitié du XIXe siècle, à une organisation comparable à l'Alliance[117] travaillant concrètement et efficacement à l'amélioration de la condition et du bien-être des Juifs partout dans le monde. L'existence même et les activités d'une telle institution montrent l'inadéquation de la notion trop générale d'« assimilation », son inaptitude à rendre compte de la réalité. L'usage qu'on en fait aujourd'hui donne une image simplifiée de l'extraordinaire complexité d'une identité juive française qui était en constante évolution à l'ère de l'émancipation. Cette identité prônait simultanément, au nom d'un judaïsme modernisé qui ne voyait aucune contradiction entre les deux termes, l'« assimilation » dans la société environnante et une puissante solidarité avec les Juifs dispersés dans le monde. Les chemins ultérieurement empruntés par l'histoire ne doivent pas masquer la réalité et la force de séduction de cette idéologie, sur laquelle se construisit l'identité juive du judaïsme français émancipé.

Partie intégrante de l'idéologie de l'émancipation, la solidarité signifiait aussi une ardente volonté de remodeler les autres communautés à l'image, idéalisée, de la communauté juive française moderne. C'est par le biais de l'action éducative de l'Alliance que les communautés sépharades et orientales entrèrent en contact avec cette idéologie. Les enseignants de l'Alliance formèrent des élites autochtones nourries de ces idéaux. En popularisant les grands principes de l'idéologie de l'émancipation grâce au vaste réseau d'écoles mis en place par l'Alliance, ils jetèrent, à la période moderne, un pont entre le judaïsme d'Orient et celui d'Occident.

Toutefois un autre facteur intervint, qui allait s'avérer fatal. Cette rencontre entre les deux branches du judaïsme s'effectua à l'ère de l'impérialisme. L'Europe consolidant sa domination sur le Moyen-Orient et l'Afrique du Nord, l'idéal de réforme se transforma en un programme d'occidentalisation, qu'il fût bien accueilli par les élites locales parce que jugé nécessaire à la survie, ou imposé d'en haut par le jeu des intérêts occidentaux. Des élites occidentalisées, prônant avec ardeur des réformes, apparurent dans tous les pays musulmans. Sur ce plan, les enseignants de l'Alliance ne se distinguaient guère des réformateurs musulmans. Les uns et les autres vouaient une même admiration pour l'Occident et n'avaient que critiques à l'égard de l'Orient. Toutefois, ils différaient sur un point fondamental. Alors que les enseignants soutenaient de façon inconditionnelle la présence européenne en terre d'Islam, les réformateurs musulmans firent leur la plus européenne des idéologies, le nationalisme, afin de libérer leur pays du joug de l'impérialisme.

Cette attitude des enseignants, que partageait la grande majorité des Juifs, s'enracinait dans une conscience aiguë de la précarité de leur existence comme minorité dans les pays musulmans. A cause de la présence européenne et de la pénétration des idées nouvelles, la *dhimma*, qui pendant des siècles avait régi le statut des Juifs comme minorité inférieure mais tolérée, avait cessé d'être opérante. La montée du chaos et de l'anarchie due au déclin politique et économique du monde musulman au cours des siècles précédents avait fait naître un sentiment d'insécurité parmi les communautés non musulmanes. Pour elles, l'arrivée des Européens signifia d'abord de meilleures conditions de sécurité, puis une chance de développement économique, notamment pour celles qui avaient toujours joué le rôle d'intermédiaires dans les transactions commerciales, et enfin une promesse d'égalité.

C'était là des avantages auxquels il était difficile de résister. Déjà prédisposé par ses études à se tourner vers l'Europe dépositaire à ses yeux de toutes les valeurs, l'instituteur ou l'institutrice de l'Alliance professait un attachement inconditionnel à l'Occident. C'est ainsi que les grands principes de l'idéologie de l'émancipation dont il s'était pénétré à l'École normale israélite orientale se radicalisèrent et finirent par signifier une complète occidentalisation, l'adoption en bloc de la culture européenne et du mode de vie occidental par les Juifs d'Orient. L'occidentalisation des communautés juives devint le premier article de foi de l'enseignement de l'Alliance. Bien plus, le zèle missionnaire avec lequel cet objectif fut poursuivi possédait toutes les caractéristiques d'une autojustification, validant le propre parcours du maître, son choix de l'Occident, sa complète occidentalisation.

Les écoles de l'Alliance et l'instruction dispensée par ses enseignants donnèrent un tour spécifique à la rencontre des sépharades avec l'Occident. Certes, à l'ère de l'impérialisme, une telle rencontre était inévitable. Toutefois, instrument privilégié de cette rencontre, l'enseignant de l'Alliance, en présentant l'Occident dans un contexte juif, le rendit plus attrayant et plus facilement assimilable. Mais surtout, au-delà du modèle idéologique, il apportait un outil économique crucial, la maîtrise de la langue française, qui non seulement ouvrait de nouveaux horizons, mais facilitait les rapports commerciaux avec l'Occident, atout majeur de promotion sociale. D'où l'extrême popularité des écoles de l'Alliance.

Bien entendu, pour la plupart des Juifs sépharades, comme des musulmans, le processus d'occidentalisation resta inachevé, même si les premiers allèrent beaucoup plus loin dans cette voie que les seconds. En fait, l'adoption complète et réussie des idées occidentales, de la culture et du savoir-faire européens était une tâche impossible en Orient, si ce n'est pour une toute petite minorité. Néanmoins, l'œuvre accomplie par le personnel des écoles de l'Alliance fut l'un des principaux moteurs des transformations et de l'occidentalisation que connurent, à des degrés divers, les communautés juives. A cet égard, les enseignants jouèrent un rôle majeur dans l'histoire moderne des communautés juives en terre l'Islam. Ils furent des acteurs de premier plan dans les dernières phases de l'ère judéo-islamique plus que millénaire qui allait finalement se clore au milieu du xxe siècle, avec le départ en masse des Juifs des pays musulmans provoqué par le recul de la domination et de l'influence européennes et par la montée de l'antisémitisme liée au conflit israélo-arabe.

NOTES

1. Sur la Turquie, voir entre autres, B. LEWIS, *Islam et laïcité, La naissance de la Turquie moderne,* tr. P. Delamare, Paris, Fayard, 1988 et S.J. SHAW et E.K. SHAW, *History of the Ottoman Empire and Modern Turkey,* 2 vol., New York, Cambridge University Press, 1977. Pour une analyse hors des sentiers battus de l'occidentalisation, voir T. VON LAUE, *The World Revolution of Westernization,* New York, Oxford University Press, 1987.

2. « Appel à tous les Israélites », in A.I.U., *Alliance israélite universelle,* Paris, 1860, p. 39. On trouvera les statuts de l'Alliance, ainsi que les diverses modifications qu'ils subirent, dans A. CHOURAQUI, *Cent ans d'histoire: L'Alliance israélite universelle et la renaissance juive contemporaine (1860-1960),* Paris, P.U.F., 1965, pp. 412-416.

3. L'étude la plus complète est celle de M. GRAETZ, *De la périphérie au centre: Quelques chapitres de l'histoire des Juifs français au XIXᵉ siècle depuis Saint-Simon jusqu'à la fondation de l'Alliance israélite universelle* (en hébreu), Jérusalem, Mossad Bialik, 1982. Voir aussi N. LEVEN, *Cinquante ans d'histoire: l'Alliance israélite universelle (1860-1910),* vol. 1, Paris, Félix Alcan, 1911. Pour un aperçu général de l'histoire du judaïsme français, voir S. SCHWARZFUCHS, *Les Juifs de France,* Paris, Albin Michel, 1975.

4. Sur l'idéologie des fondateurs, voir G. WEILL, « Émancipation et humanisme : le discours idéologique de l'Alliance israélite universelle au XIXᵉ siècle », *Les Nouveaux Cahiers,* nᵒ 52, printemps 1978, pp. 1-20.

5. L'analyse la plus récente de l'Affaire de Damas est celle de T. PARFITT, « The Year of the Pride of Israel » : Montefiore and the Blood Libel of 1840 » in S. et V.D. LIPMAN, *The Century of Moses Montefiore,* Oxford, Oxford University Press, 1985, pp. 131-148.

6. Sur ce sujet, voir l'article de P. ALBERT, « Ethnicité et solidarité chez les Juifs de France au XIXᵉ siècle », *Pardès,* 3, 1986, pp. 29-53.

7. *Talmud de Babylone,* Chavouot 39a.

8. Sur la « régénération » et l'idéologie de l'Alliance, voir A. RO-DRIGUE, *French Jews, Turkish Jews: The Alliance israélite universelle in Turkey, 1860-1914*, Thèse de doctorat, Université Harvard, 1985. pp. 18-56.

9. « Appel à tous les Israélites », cité *supra* n. 2, pp. 10-11.

10. A. RODRIGUE, *op. cit.*; M. ABITBOL, « The Encounter between French Jewry and the Jews of North Africa: Analysis of a Discourse (1830-1914) », in *The Jews in Modern France*, sous la direction de F. MALINO et B. WASSERSTEIN, Hanover (New-Hampshire), New England University Press, 1985, pp. 31-53.

11. « Die Jüdisch Orientalische Frage. » Voir la série d'articles que lui a consacrée Ludwig Phillipson dans l'*Allgemeine Zeitung des Judenthums*, XVIII, 1854, pp. 152-154, 189.

12. Sur cette question, voir A. Rodrigue, *op. cit.*, pp. 349-368.

13. *Ibid.* Voir aussi J.G. ROLAND, *The Alliance Israélite Universelle and French Policy in North Africa, 1860-1918*, thèse de doctorat, Université Columbia, 1969, pp. 334-335.

14. Georges WEILL, « The Alliance Israélite Universelle and the Emancipation of the Jewish Communities of the Mediterranean », *The Jewish Journal of Sociology*, XXIV, 2, 1982, pp. 119-121.

15. A.I.U., *L'Œuvre des Écoles,* Paris, 1865.

16. P. SILBERMAN, *An Investigation of the Schools operated by the Alliance Israélite Universelle from 1862 to 1940*, thèse de doctorat, Université de New York, 1973, pp. 63-64. Pour une biographie de Maurice de Hirsch, voir K. GRÜNWALD, *Türken Hirsch: A Study of Baron Maurice de Hirsch, Entrepreneur and Philanthropist*, Jérusalem, Israel Programs for Scientific Translation, 1966. Sur l'action philanthropique de la famille de Hirsch, voir S. LEIBOVICI, *Si tu fais le bien...*, Paris, A.I.U., 1983, pp. 11-24.

17. Pour une description plus détaillée de ce mode de fonctionnement, voir A. RODRIGUE, « Jewish Society and Schooling in a Thracian Town: The Alliance Israélite Universelle in Demotica, 1897-1924 », *Jewish Social Studies*, XLV, 3-4, été-automne 1983, pp. 263-286.

18. Archives de l'A.I.U., Grèce XX.E.251, Cazès, 31 octobre 1872. Pour plus de détails, voir A. RODRIGUE, *French Jews, Turkish Jews...*, *op. cit.*, p. 253.

18 bis. On ne dispose, à ce jour, d'aucune étude sur cette École professionnelle de Jérusalem. Créée au départ comme un établissement d'enseignement primaire, elle disposait d'ateliers destinés à la formation d'ouvriers qualifiés. Ce n'est qu'en 1897 que les deux enseignements furent séparés et que les ateliers se transformèrent en une véritable école professionnelle. Voir G. WEILL, « L'enseignement dans les écoles de l'Alliance au XIXᵉ siècle », *Les Nouveaux Cahiers*, nᵒ 78, automne 1984, p. 55.

19. Sur la fondation de Mikweh Israël, voir G. WEILL, « Charles Netter

ou les oranges de Jaffa », *Les Nouveaux Cahiers,* n° 21, été 1970, pp. 2-36. Cf. aussi N. LEVEN, *op. cit.,* vol. 2, 1920, pp. 265-319.

20. *Ibid.,* pp. 319-332, et G. WEILL, « La ferme-école de Djédeida et les tentatives de colonisation agricole en Afrique du Nord », à paraître dans les *Actes du colloque Maghreb-Machrek,* avril 1984, Jérusalem.

21. A. RODRIGUE, *op. cit.,* pp. 273-275.

22. Sur le séminaire rabbinique de Turquie, voir A. RODRIGUE, « The Alliance Israélite Universelle and the Attempt to Reform Rabbinical and Religious Instruction in Turkey », in *L'« Alliance » dans les communautés du Bassin méditerranéen à la fin du xixe siècle et son influence sur la situation sociale et culturelle,* sous la direction de S. SCHWARZFUCHS, Jérusalem, Misgav Yerushalayim, 1987, pp. LIII-LXX.

23. *Bulletin semestriel de l'Alliance israélite universelle,* 1909, pp.108-109 ; G. WEILL, « L'enseignement dans les écoles de l'Alliance au xixe siècle », *loc. cit.* ; *Paix et Droit,* octobre 1922, p. 16 ; *id.,* mars 1931, p. 8 ; *id.,* mars 1939, p. 12.

24. Liste revue et corrigée à partir du tableau établi par P. SILBERMAN, *op. cit.,* pp. 248-254. Voir également le *Bulletin semestriel de l'Alliance israélite universelle,* 1913, pp. 122-158. Les établissements subventionnés par l'Alliance, mais non dirigés par ses professeurs ou suivant un programme d'études différent n'y figurent pas.

25. Archives de l'A.I.U., France XI E 1, « Instructions pour les professeurs ».

26. Archives de l'A.I.U., France XVIII F 29, Fresco, Haskeuy, rapport annuel 1892-1893.

27. A.I.U., *Instructions générales pour les professeurs,* Paris, A.I.U., 1903.

28. *Ibid.,* pp. 23-29, 49-50, 63.

29. Le quartier juif de Tunis.

30. A.H. NAVON, *Les 70 ans de l'École normale israélite orientale,* Paris, Durlacher, 1935, p. 111.

31. *Ibid.,* p. 112. Pour la liste des enseignants de l'A.I.U. formés en dehors de l'E.N.I.O. voir *Ibid.,* pp. 111-114.

32. *Ibid.,* pp. 14-18.

33. La carrière de ces deux enseignants mériterait à elle seule une monographie. Pour un bref résumé de leur parcours, voir A.H. NAVON, *op. cit.,* p. 117. Sur N. Béhar, on peut aussi se reporter à la notice nécrologique de Jacques BIGART parue dans *Paix et Droit,* janvier 1931, pp. 6-9, et à Sh. HARAMATI, *Trois précurseurs de Ben Yehuda* (en hébreu), Jérusalem, Yad Ben-Zvi, 1978, pp. 84-125. Il n'existe pas d'étude comparable sur David Cazès.

34. P. SILBERMAN, *op. cit.,* p. 132.

35. A.H. NAVON, *op. cit.,* pp. 18-21.

36. P. SILBERMAN, *op. cit.*, p. 133.

37. *Ibid.*, pp. 132-133.

38. A.H. NAVON, *op. cit.*,, p. 24. Pour les statuts de l'école, voir *ibid.*, pp. 106-107.

39. P. SILBERMAN, *op. cit.*, p. 125.

40. A.I.U., *École normale israélite orientale: Rapport sur l'année scolaire 1886-1887*, Paris 1887, p. 2.

41. Ainsi que le montre le tableau des heures consacrées à l'enseignement des différentes matières pendant l'année scolaire 1934-1935 reproduit dans A.H. NAVON, *op. cit.*, pp. 104-105. Voir aussi P. SILBERMAN, *op. cit.*, p. 137.

42. *Ibid.*, p. 134; A.H. NAVON, *op. cit.*, p. 28.

43. *Ibid.*, p. 32.

44. A.I.U., *Instructions*, *op. cit.*, pp. 75-78.

45. Sur sa carrière, voir A.H. NAVON, *op. cit.*, p. 119.

46. *Ibid.*, pp. 126-127. Voir aussi *Paix et Droit*, mars 1936, p. 4.

47. A.H. NAVON, *op. cit.*, pp. 33-36.

48. A.H. NAVON, *op. cit.*, pp. 77-79, 81-85.

49. Tableau établi d'après les données fournies par A.H. NAVON, *op. cit.*, pp. 117-183.

50. Également connu sous le nom d'*haketia*, il s'agit d'un dialecte judéo-espagnol légèrement différent de celui parlé au Levant.

51. A.H. NAVON, *op. cit.*,, pp. 117-183.

52. En particulier, David Cazès, Jacques Loria, Moïse Fresco, Gabriel Arié, Joseph Sabbah, Moïse Franco, A.H. Navon, Moïse Nahon, Joseph Nehama et Rachel Lévy.

53. A.I.U, *Instructions,* pp. 13-17.

54. Le président de l'Alliance qui venait de décéder.

55. Incendie d'un quartier de Constantinople qui avait détruit les écoles de l'Alliance.

56. Isidore Loeb, érudit de renom et secrétaire général de l'Alliance.

57. L'un des membres du comité central.

58. École juive située à Paris où étaient parfois logés et formés les futurs professeurs de l'Alliance.

59. L'augmentation de salaire et les remboursements de frais réclamés par Confino dans la lettre citée plus haut.

60. A.I.U., *Instructions*, *op. cit.*, pp. 28-29.

61. *Ibid.*, pp. 94-95.

62. Le vêtement traditionnel.

63. Le quartier juif dans les villes de Tunisie.

64. A ce jour, on ne dispose que d'une seule étude sur les institutrices de l'Alliance: A. BENVENISTE, « Le rôle des institutrices de l'Alliance israélite à Salonique », *Combat pour la Diaspora*, 8, 1982, pp. 13-26.

65. A.I.U., *op. cit.,* p. 99.

66. Pour une étude détaillée d'une école de filles de l'Alliance, voir E. BENBASSA, « L'École de filles de l'Alliance israélite universelle à Galata (1879-1912) », communication présentée à la Première rencontre internationale d'études et de recherches sur l'Empire ottoman et la Turquie contemporaine. Recherches sur la ville ottomane : le cas du quartier de Galata, Paris, 18-22 janvier 1985, à paraître dans les *Actes du Colloque.*

67. A ce propos, on se reportera à l'étude toujours très utile de B. WEINRYB, *Jewish Vocational Education,* New York, J.T.S.A. University Press, 1948.

68. Voir G. WEILL, « Charles Netter ou les oranges de Jaffa », *loc. cit.*

69. Sur l'impact des activités de l'Alliance sur la composition sociale de la communauté juive de Salonique, voir P. DUMONT, « La structure sociale de la communauté juive de Salonique à la fin du dix-neuvième siècle », *Revue historique,* 534, avril-juin 1980, pp. 351-393. Du même auteur, voir également, « Jewish Communities in Turkey during the Last Decades of the Nineteenth Century in the Light of the Archives of the Alliance Israélite Universelle », in B. BRAUDE et B. LEWIS (sous la direction de), *Christians and Jews in the Ottoman Empire,* vol. 1, New York, Holmes and Meier, 1982, pp. 209-242. Les résultats obtenus par les « œuvres d'apprentissage » de l'Alliance en Turquie sont analysés par E. BENBASSA et A. RODRIGUE, « L'artisanat juif en Turquie à la fin du XIXᵉ siècle : L'Alliance israélite universelle et ses œuvres d'apprentissage », *Turcica,* XVII, 1985, pp.113-126. Sur les efforts accomplis par l'Alliance au Maroc et en Palestine, voir M. LASKIER, « The Alliance Israélite Universelle and the Social Conditions of the Jewish Communities in the Mediterranean Basin », in *L'« Alliance » dans les communautés du Bassin méditerranéen... op. cit.,* pp. LXXX-LXXXIII. Dans le même ouvrage, on consultera également le tableau général dressé par G. WEILL, « L'Alliance israélite universelle et la condition sociale des communautés juives méditerranéennes à la fin du XIXᵉ siècle (1860-1914) », pp. VII-LII..

70. Les fermes-écoles créées par l'Alliance n'allèrent pas sans poser de graves problèmes au comité central. Que ce soit en Tunisie, en Asie Mineure ou en Algérie, ces établissements ne fonctionnèrent jamais de façon satisfaisante. A l'exception de Mikweh Israël en Palestine, dont les résultats se révélèrent mitigés, tous furent finalement fermés. Une étude globale de cet aspect des activités de l'Alliance reste à faire. Jusqu'à présent, on ne dispose que des travaux de G. WEILL : « Charles Netter ou les oranges de Jaffa », *loc. cit.,* et « La Ferme-école de Djédeida et les tentatives de colonisation agricole en Afrique du Nord », *loc. cit.*

71. A.I.U., *Instructions, op. cit.,* p. 98.

72. *Ibid.,* pp. 95-97.

73. N. LEVEN, *op. cit.,* vol. 2, p. 34.

74. Dons charitables effectués par la diaspora en faveur des Juifs orthodoxes de Palestine.

75. Réunion du conseil de la communauté.

76. Quartier à majorité juive de Constantinople.

77. Nom donné aux rabbins au Moyen-Orient et que portaient également les maîtres des écoles religieuses juives traditionnelles.

78. Écoles religieuses juives d'enseignement supérieur.

79. Voir par exemple les conclusions de la mission d'inspection conduite par LÉVI-PORGÈS en 1908, *Bulletin semestriel de l'Alliance israélite universelle,* 33, 1903, pp.34-35. Cette mission a fait l'objet d'une étude de Lucien LAZARE, « L'Alliance israélite universelle en Palestine à l'époque de la révolution des Jeunes Turcs et sa mission en Orient du 29 octobre au 19 janvier 1909 », *Revue des Études Juives,* CXXXVIII, 4, juillet-décembre 1979, pp. 307-335.

80. M.M. LASKIER, *The Alliance Israélite Universelle and the Jewish Communities of Marocco, 1862-1962,* Albany (New York), S.U.N.Y. Press, 1983, pp. 241-247.

81. Professeur de l'Alliance à Constantinople, auteur de plusieurs manuels utilisés par de nombreuses écoles de l'Alliance.

82. La langue maternelle de la plupart des Juifs de Tanger et de Tétouan était le judéo-espagnol.

83. Écoles religieuses juives d'enseignement élémentaire en milieu ashkenaze.

84. Les quartiers juifs.

85. Le service militaire était obligatoire en Turquie depuis 1909.

86. Chef des troupes françaises dans la région.

87. « Étranger » en espagnol. Non donné aux Juifs autochtones d'Afrique du Nord par les sépharades exilés de la péninsule ibérique.

88. Nom désignant les Européens dans différentes régions du monde musulman. L'origine de ce terme remonte aux premiers contacts entre les Arabes et l'Empire byzantin, la « Rome de l'Orient ».

89. Partie musulmane de la ville.

90. Littéralement, le « cheikh des Juifs ».

91. Communauté composée de Juifs originaires de Livourne, qui portent également le nom de *Grana*.

92. Nom donné au quartier juif dans les villes de Tunisie. *Cf.* le *mellah* au Maroc.

93. Abatteurs rituels.

94. Rituellement impure ; le contraire de cacher.

95. A l'époque, la Syrie se trouvait encore sous Mandat francais.

96. Les marchés.

97. Interprète.

98. On trouvera le récit de ces interventions politiques de l'Alliance dans les deux histoires officielles de l'organisation : N. LEVEN, *op. cit.*, vol. 1, et A. CHOURAQUI, *op. cit.*. D'autres études exploitant les archives diplomatiques seraient particulièrement utiles pour clarifier certains épisodes importants de son action diplomatique.

99. Sur la *dhimma*, voir B. LEWIS, *Juifs en terre d'Islam*, tr. J. Carnaud, Paris, Calmanny-Lévy, coll. « Diaspora », 1986, pp. 17-85, et N.S. STILLMAN, *The Jews of Arab lands*, Philadelphie, Jewish Publication Society, 1979, pp. 167-168, 255-258. Bien que polémique, l'ouvrage de BAT YE'OR, *Le Dhimmi : Profil de l'opprimé en Orient et en Afrique du Nord depuis la conquête arabe*, Paris, Anthropos, 1980, contient nombre de documents importants.

100. Cet aspect de l'activité de l'Alliance a fait l'objet d'une étude aprofondie par M.M. LASKIER, *The Alliance Israélite Universelle and the Jewish Communities of Morocco, op. cit.* Pour ce qui concerne l'Afrique du Nord en général, voir J.G. ROLAND, *op. cit.*

101. Décret.

102. B. Lévy était français.

103. Partie de la ville habitée par les musulmans les plus riches et les représentants du pouvoir central.

104. L'adjoint.

105. Pour un exemple de démarche en ce sens, voir la lettre que Narcisse Leven adressa en 1913 à Lyautey, Résident général de France au Maroc, reproduite dans A. CHOURAQUI, *op. cit.*, pp. 440-442.

106. Sur cette question, voir M. M. LASKIER, *op. cit.*, pp. 163-171.

107. Le tribunal civil.

108. Loi facilitant l'accession à la nationalité française des Juifs les plus instruits et les plus riches.

109. On va voir.

110. Dieu est bon.

111. La Libye, que les Italiens annexèrent à l'issue de la guerre italo-turque de 1911.

112. Référence au régime despotique d'Abdul Hamid II, renversé par la révolution Jeune Turque en 1908.

113. Voir A. RODRIGUE, *op. cit.*, pp. 331-334.

114. Sur la montée du sionisme comme force politique au sein d'une communauté sépharade et les problèmes qui en résultèrent pour l'Alliance, voir E. BENBASSA, *Haim Nahum Efendi, dernier Grand Rabbin de l'Empire ottoman (1908-1920), son rôle politique et diplomatique*, thèse de doctorat d'État, Université de Paris-III, 1987.

115. Le clergé musulman.

116. Mot hébreu désignant les Lumières.

117. Fondée en 1870, l'Anglo-Jewish Association, sans connaître le même essor, travailla toujours en étroite collaboration avec l'Alliance.

SOURCES — BIBLIOGRAPHIE

A. ARCHIVES

Archives de l'Alliance israélite universelle :

Dossiers :

France	Israël
Maroc	Syrie
Algérie	Liban
Tunisie	Irak
Lybie	Iran
Égypte	Turquie
	Grèce

B. PUBLICATIONS DE L'ALLIANCE ISRAÉLITE UNIVERSELLE : (par ordre chronologique)

Alliance israélite universelle, Paris, 1860.

L'œuvre des Écoles, Paris, 1863.

Bulletin semestriel de l'Alliance israélite universelle (1860/1865-1913).

Brochure publiée à l'occasion du 25ᵉ anniversaire de la fondation de l'Œuvre, Paris, 1885.

L'Alliance israélite universelle, 1860-1895. Paris, 1895.

BIGART, Jacques, *L'Alliance israélite : son action éducatrice*, Paris 1900.

Instructions générales pour les professeurs, Paris, 1903.

Revue des Écoles de l'Alliance israélite (1901-1904).

Bulletin des Écoles de l'Alliance israélite (1910-1914).

C. BIBLIOGRAPHIE

ABITBOL, Michel, « The Encounter between French Jewry and the Jews of North Africa. Analysis of a Discourse (1830-1914) », in *The Jews in Modern France*, sous la direction de F. MALINO et B. WASSERSTEIN, Hanover (New Hampshire), New England University Press, 1985.

ABITBOL, Michel, *Le Judaïsme d'Afrique du Nord aux XIXe et XXe siècles*, Jérusalem, Yad Ben-Zvi, 1980.

ABITBOL, Michel, *Témoins et Acteurs: les Corcos et l'histoire du Maroc contemporain*, Jérusalem, Yad Ben-Zvi, 1977.

ALBERT, Phyllis, « Ethnicité et solidarité chez les Juifs de France au XIXe siècle », *Pardès*, 3, 1986, pp. 29-53.

ALBERT, Phyllis, *The Modernization of French Jewry: Consistory and Community in the Nineteenth Century*, Hanover (New Hampshire), New England University Press, 1977.

ATTAL, Robert, *Regards sur les Juifs de Tunisie*, Paris, Albin Michel, 1979.

ATTAL, Robert, *Les Juifs d'Afrique du Nord: bibliographie*, Jérusalem, Yad Ben-Zvi, 1973.

AYOUN, Richard et COHEN, Bernard, *Les Juifs d'Algérie: deux mille ans d'histoire*, Paris, J.-C. Lattès, 1982, 2 vol.

BAT YE'OR, *Le Dhimmi: profil de l'opprimé en Orient et en Afrique du Nord depuis la conquête arabe*, Paris, Éditions Anthropos, 1980.

BEN AMI, Issachar (sous la direction de), *The Sepharadi and Oriental Jewish Heritage*, Jérusalem, Magnes Press, 1982.

BENBASSA, Esther, *Haim Nahum Efendi, dernier Grand Rabbin de l'Empire ottoman (1908-1920), son rôle politique et diplomatique*, Thèse de doctorat d'État, Université de Paris-III, 1987.

BENBASSA, Esther, « L'Alliance israélite universelle et l'élection de Haim Nahum au Grand Rabbinat de l'Empire ottoman (1908-1909) », *Proceedings of the Ninth World Congress of Jewish Studies*, Division B, Vol. III, Jérusalem, 1986, pp. 83-90.

BENBASSA, Esther, « L'École de filles de l'Alliance israélite universelle à Galata (1879-1912) », Communication présentée à la première rencontre internationale d'études et de recherches sur l'Empire ottoman et la Turquie contemporaine. Recherches sur la ville ottomane: le cas du quartier de Galata, Paris, 18-22 janvier 1985. A paraître dans les *Actes du Colloque*.

BENBASSA, Esther, « La presse d'Istanbul et de Salonique au service du sionisme (1908-1914) », *Revue historique*, CCLXXVI, 1986, pp. 337-365.

BENBASSA, Esther et RODRIGUE, Aron, « L'artisanat juif en Turquie à la fin du XIXe siècle: l'Alliance israélite universelle et ses œuvres d'apprentissage », *Turcica*, XVII, 1985, pp. 113-126.

BENVENISTE, Annie, « Le rôle des institutrices de l'Alliance israélite à Salonique », *Combat pour la Diaspora*, 8, 1982, pp. 13-26.

BOUVIER Jean, GIRAULT René et THOBIE Jacques, *L'Impérialisme à la française*, Paris, Éditions La Découverte, 1986.

BRAUDE, Benjamin et LEWIS, Bernard (sous la direction de), *Christians and Jews in the Ottoman Empire*, New York, Holmes and Meier, 1982, 2 vol.

BURROWS, Matthew, « Mission civilisatrice: French Cultural Policy in the

Middle East, 1860-1914 », *The Historical Journal*, XXIX, 1986, pp. 109-135.

CAZÈS, David, *Essai sur l'histoire des Israélites de Tunisie*, Paris, Durlacher, 1888.

CHOURAQUI, André, *Histoire des Juifs en Afrique du Nord*, Paris, Hachette, 1985.

CHOURAQUI, André, *Cent ans d'histoire. L'Alliance israélite universelle et la renaissance juive contemporaine (1860-1960)*, Paris, Presses Universitaires de France, 1965.

COHEN, Avraham, « Iranian Jewry and the Educational Endeavors of the A.I.U. », *Jewish Social Studies*, XLVIII, hiver 1986, pp. 15-44.

COHEN, Eliahou, « L'influence intellectuelle et sociale des écoles de l'Alliance israélite universelle sur les Israélites du Proche-Orient », thèse de doctorat, Université de Paris, 1962.

COVO, Mercado J., « Contribution à l'histoire des institutions scolaires de la communauté israélite de Salonique jusqu'à la fondation de l'école des garçons de l'Alliance israélite universelle », *Almanach national au profit de l'hôpital de Hirsch*, VIII (1916), pp. 97-103.

DERMENJIAN, Geneviève, *Juifs et Européens d'Algérie : l'antisémitisme oranais, 1892-1905*, Jérusalem, Yad Ben-Zvi, 1983.

DESHEN, Shlomo et ZENNER Walter (sous la direction de), *Jewish Societies in the Middle East: Community, Culture and Authority*, Washington, D.C., University Press of America, 1982.

DJAIT, Hichem, *L'Europe et l'Islam*, Paris, éditions du Seuil, 1978.

DUMONT, Paul, « La structure sociale de la communauté juive de Salonique à la fin du XIXe siècle », *Revue historique* 534, 1980, pp. 351-393.

DUMONT, Paul, « Une source pour l'étude des communautés juives en Turquie: les archives de l'Alliance israélite universelle », *Journal asiatique*, CCLXVII, 1979, pp. 101-135.

DUMONT, Paul, « Jewish Communities in Turkey during the Last Decades of the Nineteenth Century in the Light of the Archives of the Alliance israélite universelle », in *Christians and Jews in the Ottoman Empire*, sous la direction de Benjamin BRAUDE et Bernard LEWIS, New York, Holmes and Maier, 1982, vol. I, pp. 209-242.

DUMONT, Paul, « La condition juive en Turquie à la fin du XIXe siècle », *Les Nouveaux Cahiers*, 57, été 1979, pp. 25-38.

ETTINGER, Shmuel, (sous la direction de), *History of Jews in Islamic Countries*, Jérusalem, Zalman Shazar Center, 1981-1986, 3 vol.

FRANCO, Moïse, *Essai sur l'histoire des Israélites de l'Empire ottoman*, Réimpression, Paris, Centre d'études don Isaac Abravanel, U.I.S.F., 1980.

GALANTÉ, Abraham, *Histoire des Juifs d'Istanbul*, Istanbul, Hüsnütabiat, 1941-1942, 2 vol.

GALANTÉ, Abraham, *Histoire des Juifs d'Anatolie*, Istanbul, M. Babok, 1937-1939, 2 vol.

GALANTÉ, Abraham, *Turcs et Juifs*, Istanbul, Haim Rozio, 1932.

GALANTÉ, Abraham, *Documents officiels turcs concernant les Juifs de Turquie*, Istanbul, Haim Rozio, 1931.

GIRARD, Patrick, *Les Juifs de France de 1789 à 1860 : de l'émancipation à l'égalité*, Paris, Calmann-Lévy, coll. « Diaspora », 1976.

GOITEN, Salomon D., *Juifs et Arabes*, Paris, Éditions de Minuit, 1957.

GRAETZ, Michael, *De la périphérie au centre : les étapes de l'histoire des Juifs de France au XIXe siècle, de Saint-Simon à la fondation de l'Alliance israélite universelle*, en hébreu, Jérusalem, Mossad Bialik, 1982.

GRUNWALD, Kurt, *Türken Hirsch : A Study of Baron Maurice de Hirsch. Entrepreneur and Philanthropist*, Jérusalem, Israel Programs for Scientific Translation, 1966.

HARAMATI, Shlomoh, *Trois prédécesseurs de Ben-Yehuda*, en hébreu, Jérusalem, Yad Ben-Zvi, 1978.

HERTZBERG, Arthur, *The French Enlightenment and the Jews*, New York et Londres, Columbia University Press et Jewish Publication Society, Philadelphie, 1968.

HIRSHBERG, H.Z., *History of the Jews of North Africa*. Leyde, E.J. Brill, 1974.

HYMAN, Paula, *De Dreyfus à Vichy. L'évolution de la communauté juive en France, 1906-1939*, Paris, Fayard, 1985.

ISRAËL, Gérard, *L'Alliance israélite universelle, 1860-1960. Cent ans d'efforts pour la libération et la promotion de l'homme par l'homme*, Paris, A.I.U., 1960.

KATZ, Jacob, *Hors du ghetto : l'émancipation des Juifs en Europe, 1770-1870*, préface de P. Vidal-Naquet, Paris, Hachette, 1984.

KEDOURIE, Elie, « Young Turks, Free-masons and Jews », *Middle Eastern Studies*, VII, 1971, pp. 89-104.

KEDOURIE, Elie, « The Jews of Baghdad », *Middle Eastern Studies*, VII, 1971, pp. 355-361.

KEDOURIE, Elie, « The Alliance israélite universelle, 1860-1960 », *Jewish Journal of Sociology*, IX, 1, juin 1967, pp. 92-99.

LANDAU, Jacob, *Jews in Nineteenth Century Egypt*, New York, New York University Press, 1969.

LAQUEUR, Walter, *Histoire du sionisme*, Paris, Calmann-Lévy, coll. « Diaspora », 1973.

LASKIER, Michael M., « Avraham Albert Antebi : Quelques aspects de ses activités entre 1897 et 1914 », en hébreu. *Pe'amim*, 21 1984, pp. 50-82.

LASKIER, Michael M., *The Alliance israélite universelle and the Jewish Communities of Morocco, 1862-1962*, Albany (New York), S.U.N.Y Press, 1983.

LASKIER, Michael M., « Aspects of the Activity of the Alliance israélite universelle in the Jewish Communities of the Middle East and North Africa : 1860-1918 », *Modern Judaism*, III, 2, mai 1983, pp. 147-172.

LASKIER, Michael M., « The Alliance Israélite Universelle and the Social Conditions of the Jewish Communities in the Mediterranean Basin (1860-1914) », in *L'« Alliance » dans les communautés du bassin méditerranéen à la fin du XIXe siècle et son influence sur la situation sociale et culturelle*, sous la direction de Simon SCHWARZFUCHS, Jérusalem, Misgav Yerushalayim, 1987, pp. LXXI-LXXXVII.

LAUE, Theodore von, *The World Revolution of Westernization*, New York, Oxford University Press, 1987.

LAZARE, Lucien, « L'Alliance israélite universelle en Palestine à l'époque de la révolution des "Jeunes Turcs" et sa mission en Orient du 29 octobre 1908 au 19 janvier 1909 », *Revue des Études Juives*, CXXXVIII, 4, juillet-décembre 1979, 307-335.

LEIBOVICI, Sarah, *Chronique des Juifs de Tétouan (1860-1896)*, Paris, Maisonneuve et Larose, 1984.

LEIBOVICI, Sarah, *Si tu fais le bien...*, Paris, A.I.U., 1983.

LEVEN, Narcisse, *Cinquante ans d'histoire. L'Alliance israélite universelle (1860-1910)*, Paris, Félix Alcan, 1911-1920, 2 vol.

LEWIS, Bernard, *Comment l'Islam a découvert l'Europe*, postface de M. Rodinson, Paris, Éditions La Découverte, 1984.

LEWIS, Bernard, *Juifs en terre d'Islam*, Paris, Calmann-Lévy, coll. « Diaspora », 1986.

LEWIS, Bernard, *The Middle East and the West*, Bloomington (Indiana), Indiana University Press, 1964.

LEWIS, Bernard, *Islam et laïcité. La naissance de la Turquie moderne*, Paris, Fayard, 1988.

LIPMAN, Sonia et LIPMAN, Vivian D., (sous la direction de), *The Century of Moses Montefiore*, Oxford, Oxford University Press, 1985.

MARRUS, Michel, *Les Juifs de France à l'époque de l'affaire Dreyfus : l'assimilation à l'épreuve*, préface de P. Vidal-Naquet, Paris, Calmann-Lévy, coll. « Diaspora », 1972 ; rééd., Bruxelles, Éditions Complexe, 1985.

NAVON, A.H., « La fondation de l'école de l'Alliance à Andrinople », *Paix et Droit*, avril 1923, pp. 13-15.

NAVON, A.H., « Contribution à l'histoire de la fondation des écoles de l'Alliance israélite universelle », *Le judaïsme séphardi*, 4 novembre 1932, pp. 64-66.

NAVON, A.H., « Contribution à l'histoire de la fondation des écoles de l'Alliance israélite universelle, *Le Judaïsme séphardi*, 1er juillet 1932, pp. 8-9.

NAVON, A.H., *Les 70 ans de l'École Normale Israélite Orientale*, Paris, Durlacher, 1935.

PATAI, Raphael, *The Seed of Abraham: Jews and Arabs in Contact and Conflict*, Salt Lake City, University of Utah Press, 1986.

RAPHAEL, Chaim, *The Road from Babylon: The Story of Sephardi and Oriental Jewry*, New York, Harper and Row, 1985.

REJWAN, Nissim, *The Jews of Iraq: 3000 Years of History and Culture*. Boulder, (Colorado), Westview Press, 1985.

RODRIGUE, Aron, « The Alliance israélite universelle and the Attempt to Reform Rabbinical and Religious Instruction in Turkey », in *L'« Alliance » dans les communautés du bassin méditerranéen à la fin du XIXe siècle et son influence sur la situation sociale et culturelle*, sous la direction de Simon SCHWARZFUCHS, Jérusalem, Misgav Yerushalayim, 1987, pp. L III-LXX.

RODRIGUE, Aron, « Jewish Society and Schooling in a Thracian Town: The Alliance Universelle in Demotica, 1897-1924 », *Jewish Social Studies*, XLV, 3-4, été-automne 1983, pp. 263-286.

RODRIGUE, Aron, *French Jews, Turkish Jews: The Alliance israélite universelle in Turkey, 1860-1914*, Thèse de doctorat, Université Harvard, 1985.

ROLAND, Joan Gardner, *The Alliance Israélite Universelle and French Policy in North Africa, 1860-1918*, Thèse de doctorat, Université Columbia, 1969.

SAGUÈS, Albert, *Deux organisations de défense du judaïsme: Le sionisme et l'Alliance israélite*, Tunis, M. Zarcka, 1920.

SAÏD, Edward W., *L'Orientalisme. L'Orient créé par l'Occident*, préface de T. Todorov, Paris, Éditions du Seuil, 1980.

SASSOON, David S., *A History of the Jews of Baghdad*, Letchworth, Solomon D. Sassoon, 1949.

SCHWARZFUCHS, Simon, *Napoléon, the Jews and the Sanhedrin*. Londres, Routledge and Kegan Paul, 1979.

SCHWARZFUCHS, Simon, *Les Juifs de France*, Paris, Albin Michel, 1975.

SCHWARZFUCHS, Simon, *Les Juifs d'Algérie et la France, 1830-1855*, Jérusalem, Yad Ben-Zvi, 1981.

SCHWARZFUCHS, Simon, (sous la direction de), *L'« Alliance » dans les communautés du bassin méditerranéen à la fin du XIXe siècle et son influence sur la situation sociale et culturelle*, Jérusalem, Misgav Yerushalayim, 1987.

SEPHIHA, Haim Vidal, *L'Agonie des Judéo-Espagnols*, Paris, Éditions Entente, 1977.

SHAW, Stanford J., et SHAW, Ezel Kural, *History of the Ottoman Empire and Modern Turkey*, New York, Cambridge University Press, 1977, 2 vol.

SHORROCK, William, *French Imperialism in the Middle East*, Madison, (Wisconsin), Wisconsin University Press, 1976.

SILBERMAN, Paul, *An Investigation of the Schools operated by the Alliance israélite universelle from 1862 to 1940*, thèse de doctorat, Université de New York, 1973.

STILLMAN, Norman, *The Jews of Arab Lands,* Philadelphie, Jewish Publication Society, 1979.

SZAJKOWSKI, Zosa, « Jewish Diplomacy: Notes on the Occasion of the Centenary of the Alliance israélite universelle », *Jewish Social Studies,* XX, 3, juillet 1960, pp. 131-158.

SZAJKOWSKI, Zosa, « The Schools of the Alliance israélite universelle », *Historia Judaica,* XXII, 1, 1960, pp. 3-22.

SZAJKOWSKI, Zosa, « Conflicts in the A.I.U. and the Founding of the Anglo-Jewish Association, the Vienna Allianz and the Hilfsverein », *Jewish Social Studies,* XIX, 1-2, janvier-avril 1957, pp. 29-50.

THOBIE, Jacques, *La France impériale 1880-1914,* Paris, Éditions Mégrelis, 1982.

THOBIE, Jacques, « La France a-t-elle une politique culturelle dans l'Empire ottoman à la veille de la première guerre mondiale? », *Relations Internationales,* 25, printemps 1981, pp. 21-40.

UDOVITCH, Abraham L. et VALENSI, Lucette, *Juifs en terre d'Islam: les communautés de Djerba.* Paris, Éditions des Archives contemporaines, 1984.

VALENSI, Lucette, *Le Maghreb avant la prise d'Alger (1790-1830),* Paris, Flammarion, 1969.

VALENSI, Lucette, « La tour de Babel, groupes et relations ethniques au Moyen-Orient et en Afrique du Nord », *Annales E.S.C.,* 4, juillet-août 1986, pp. 817-835.

WEILL, Georges, « Charles Netter ou les oranges de Jaffa », *Les Nouveaux Cahiers,* 21, été 1970, pp. 2-36.

WEILL, Georges, « Émancipation et humanisme: Le discours idéologique de l'Alliance israélite universelle au XIXe siècle », *Les Nouveaux Cahiers,* 52, printemps 1978, pp. 1-20.

WEILL, Georges, « The Alliance israélite universelle and the Emancipation of the Jewish Communities of the Mediterranean », *The Jewish Journal of Sociology,* XXIV, 2, 1982, pp. 117-134.

WEILL, Georges, « L'Alliance israélite universelle et la condition sociale des communautés méditerranéenes à la fin du XIXe siècle (1860-1914) », *L'« Alliance » dans les communautés du bassin méditerranéen à la fin du XIXe siècle et son influence sur la situation sociale et culturelle,* sous la direction de Simon SCHWARZFUCHS, Jérusalem, Misgav Yerushalayim, 1987, pp. VII-L II.

WEILL, Georges, « La ferme-école de Djédeida et les tentatives de colonisation agricole en Afrique du Nord », à paraître dans *Les Actes du colloque Maghreb-Machrek,* tenu à Jérusalem, avril 1984.

WEILL, Georges, « L'enseignement dans les écoles de l'Alliance au XIXe siècle », *Les Nouveaux Cahiers,* n° 78, automne 1984, pp. 51-58.

ZAFRANI, Haim, *Mille ans de vie juive au Maroc,* Paris, Maisonneuve et Larose, 1983.

INDEX

LISTE DES TABLEAUX
ET DES CARTES

TABLE DES MATIÈRES

CET OUVRAGE
A ÉTÉ REPRODUIT
ET ACHEVÉ D'IMPRIMER
PAR L'IMPRIMERIE FLOCH À MAYENNE
EN JANVIER 1989

(27584)

POUR LE COMPTE DES
ÉDITIONS CALMANN-LÉVY, 3, RUE AUBER
PARIS-9e – No 11468/01
DÉPÔT LÉGAL : FÉVRIER 1989